5分でわかるイラスト図解！

理系の「なぜ？」がわかる本

小谷太郎

青春出版社

はじめに

赤ちゃんはなぜかわいいのでしょうか？
街中にある「空間除菌商品」はホントに効果あるのでしょうか？
この宇宙はいつから存在しているのでしょうか？

こうした日常の不思議や疑問に、現代科学はどのような答えを用意しているでしょう。
これまで答えようもなかった問いや、人類が知ることはできないだろうと思われていた秘密に、科学技術の急激な進展は次々と解答をもたらしつつあります。あなたが学校で習った知識は、もう時代遅れかもしれません。

この本は、朝日中高生新聞に連載中のコラム『ゆるくてガチな理系ワールド』から話題を厳選し、現在の情勢に応じて書き改め、書籍として構成したものです。

元は中高生を対象とする記事なので、専門知識がなくても読めるように、一篇一篇が短く、やさしく、書かれています。また、ユーモラスなのに正確なイラストを眺《なが》めれば、直観的に理解できます。

しかし扱っているテーマは初歩的な科学に限りません。「宇宙物理学」「素粒子物理学」「分子生物学」などの最新の研究成果も盛り込んでいます。

つまらないと思ったら一顧《いっこ》だにしないが、おもしろいものには全力で喰いつく読者の好奇心に、力のおよぶ限り応えたつもりです。

それではこれからみなさんに、身近な日常の現象から、先端科学ニュースの報じる新発見・新発明まで、広く理系の「なぜ?」を取り上げて解説しましょう。

小谷太郎

5分でわかるイラスト図解！

理系の「なぜ？」がわかる本　もくじ

はじめに　2

1章

「なるほど！　そんな理由があったのか」

身近な理系の大疑問

なぜ、A型の血をB型の人に輸血してはいけないの？　10
実は毒でできていたコーヒーを、なぜ美味しく飲める？　14
「鼻がむずむず」「目が痒い」……、花粉症がやっかいなワケ　18
「このケーキ美味しくて幸せ～」は、どこで、どう感じている？　22
「イヌは忠実」「ネコは気まま」は、進化に隠されていた？　26

「赤ちゃんかわいい！」と、感じるのに理由がある？ 30
あなたも心理法則「アンカリング」に逆らえない？ 34
「初めて会ったのに当てられる!?」占いのカラクリ 38
スマホ、銀行……、大切な情報はどのように守られてる？ 42
「理系ワールド」にご招待 01 知識とユーモアに、わくわくする科学エッセイ 46

2章

教科書にない理系の謎

「えっ！ そうだったの？」

街中にある「空間除菌商品」のホントのところ 48
感染症などから、数十億の命を救った治療薬の発見 52
感染症VS科学！ 1ミリメートルより小さいものを見つけて、何が変わった？ 56

1週間で10人増えた感染者が、8週間で1億人に!? 60
草食動物は、実は草を消化できない!? 64
真紅、緑、黄、紫、青……、花火の色はなぜカラフル? 68
イグ・ノーベル賞が「おもしろおかしい賞」ではない真の意味 72
鋭利に凍らせた「うんこ製ナイフ」で料理を作れる? 76
「理系ワールド」にご招待 02 動物と人間の愛情あふれるエッセイ 80

3章

「知れば知るほど、もっと知りたくなる」奥深い理系の知識

「世界が何でできているか」をたった1枚の紙で表わせる? 82
130年ぶりに変わったキログラムの基準、何がどう変わった? 86

世界で一番大きい機械は、世界で一番小さいものを見つけてる？ 90
99・995%光を吸収する世界で一番黒い物の正体 94
「アインシュタインが泣いて喜ぶ!?」2015年の世紀の大発見 98
「見えないブラック・ホールを捉えた!」驚きの地球サイズ望遠鏡 102
138億年前のビッグ・バン説の有力な証拠とは？ 106
これまでの常識はもう古い？ 宇宙の新常識 110
「理系ワールド」にご招待 03 究極の「実験する研究者」が見えてくる本 114

4章

「ビックリ仰天、泣き笑い!」

理系の人々の意外な素顔

「仕事の合間に物理学」で遺した、アインシュタインの奇跡 116

科学と芸術を超越した、ある天才の正体 120
偉大な科学者ニュートンは、ダメダメな半生だった？ 124
ややこしい「電流は＋から－に流れる」と決めたのは誰？ 128
ナチスをも破ったパソコンの父、チューリングの知られざる最期 132
『ロウソクの科学』著者ファラデーから脈々と受け継がれているものとは？ 136
「理系ワールド」にご招待 04
「これ、私のことかも！」理系の習性がわかる本 140
おわりに 141

カバー・本文イラスト　タテノカズヒロ
デザイン・ＤＴＰ　リクリデザインワークス
編集協力　蒼陽社

1章

「なるほど！　そんな理由があったのか」

身近な理系の大疑問

人体

なぜ、A型の血をB型の人に輸血してはいけないの？

ヒトの体重の7～8％は血液です。そして血液の40％を失うと出血多量でヒトは死にます。このことは無数の不幸な事例で明らかです。ならば血液を失った怪我《けが》人に、他人の血液を補給してやれば、命が助かるのではないでしょうか。こういう考えに基づいて、輸血の試みは古くから行なわれてきました。しかし輸血は、**運が悪ければ、あたかも毒を注入したかのような症状を引き起こすことがある危険な医療でした**。

安全な輸血を研究したアメリカの病理学者カール・ラントシュタイナー（1868～1943）は、ヒトの血液にいくつかの種類があることを発見しました。1900年のことです。

ヒトをはじめとする生物の体は、侵入してきた異物を認識し、排除する仕組みを持っています。生体に異物として認識された物質を「抗原《こうげん》」といいます。さまざまな物質が抗原になり得ます。例えば血液に含まれる赤血球のタンパク質も抗原になります。

抗原となり得る赤血球タンパク質にはA型とB型の2種類がありました。A型のタンパク質だけを持つA型血液のヒト、B型のタンパク質だけを持つB型血液のヒト、両方持つAB型血液のヒト、どちらも持たないO型血液のヒトがいることがわかりました。

A型のタンパク質を持つ赤血球を、A型赤血球を持たない生体に注入すると、生体がA型タンパク質を異物とみなし、攻撃する場合があります。これが輸血失敗の原因でした。

またB型タンパク質を持つ血液を、持たない人に輸血することもできません。

一方、生体は自分の組織を異物とはみなさないので、A型赤血球を持つヒトに、他人のA型血液を輸血しても、拒否反応は（ほとんど）起きません。同じ血液型どうしの輸血なら、他人の血でも（多くの場合）安全です。

なお輸血は、医療機関で血液型を検査してから行ないます。患者や周囲の人の申告に頼って血液型を決めたりしません。なので、自分や他人の血液型を知っている必要はありません。

20世紀初頭は近代兵器を用いる大戦争の時代でした。血液型の発見は信頼できる輸血医療を実現し、戦場で多くの生命を救いました。ラントシュタイナーは1930年のノーベル生理学・医学賞を受賞しました。

ところでラントシュタイナーの発見から100年経った日本では、どういうわけか、血液型と性格に関係があるという迷信が広まっています。血液型占いなるものがはびこり、そういったタイトルの書籍が売れ、自分や他人の血液型を気にして聞きまわる人が大勢います。

性格の統計的な調査は何度も行なわれたことがあり、そのたびに血液型と性格は無関係という結果が出ているのですが、血液型占いの人気はまだ根強いものがあります。

誰もが血液型に興味を持ち、自分や他人の血液型という本来無用な情報を知っていることの奇妙な日本社会を、ラントシュタイナー先生が見たらはたして何とおっしゃるでしょうか。

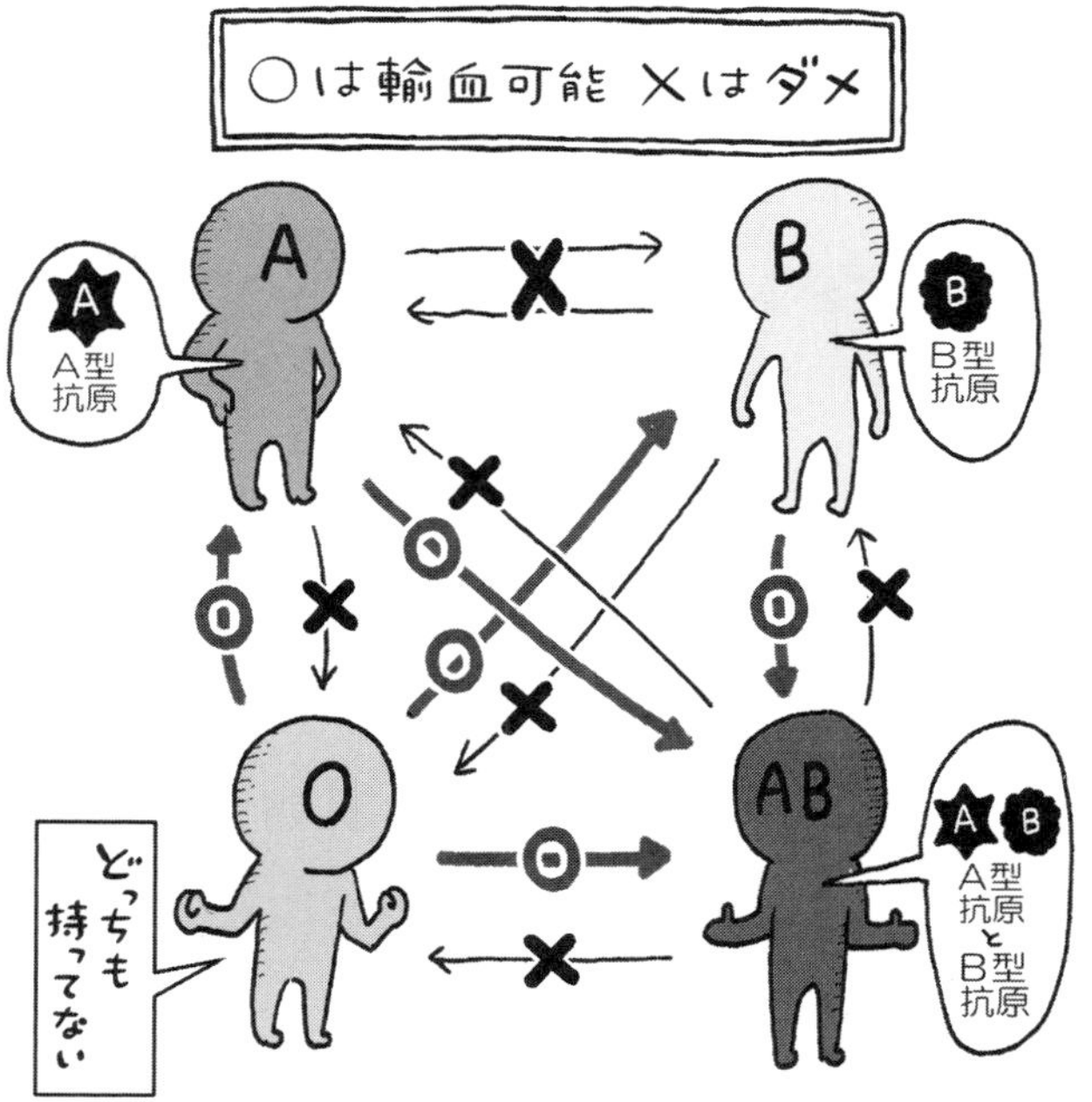
○は輸血可能 ×はダメ
A
A型抗原
B
B型抗原
O
どっちも持ってない
AB
A型抗原とB型抗原

同じ血液型同士は輸血可能
A
A
ウム
カール・ラントシュタイナー
1868～1943

生物

実は毒でできていたコーヒーを、なぜ美味しく飲める?

春にはスギやヒノキの花粉が舞い飛びます。花粉症の（筆者を含む）患者にはつらい時季です。花粉症対策として飲み薬を服用している人もいます。

花粉症の薬の中には副作用として眠気を催《もよお》すものもあります。そのため春はまた眠くなる季節でもあります。「春眠《しゅんみん》、暁《あかつき》を覚えず」という漢詩があって、これは「春は寝心地がよくて朝が来たのにも気づかない」という意味です。中国の唐の時代の人も花粉症に悩まされていたのかも、などとくしゃみをしながら考えてしまいます（が、そんなわけはありません）。

花粉症の薬とは反対に、コーヒーやお茶には目が冴《さ》える効果があります。コーヒーは「コーヒーノキ」という名の植物の種子から、お茶は「チャノキ」の葉から作られます。これらの植物の種子や葉に含まれる「カフェイン」を摂取すると、眠気や疲労を一時的に感じなくなります。毎日何十億人もの人が何百万トンものコーヒーや紅茶や緑茶や烏龍茶を消費しては眠気を払い、仕事や宿題をこなしています。現代文明はカフェインのおかげで成り立っているといえるかもしれません。

ヒトなど動物の体内では、活動にともなって「アデノシン」という物質が作られ、たまってきます。脳細胞などがアデノシンを感じる（受容する）と、眠気や倦怠感《けんたいかん》など疲労の症状が表われます。

カフェインはもともと、コーヒーノキやチャノキが虫に食べられるのを防ぐために持つ毒物です。それがヒトの体内に入ると、どういうわけか脳細胞などに作用し、アデノシンの受容を妨害し、眠気や疲労を一時的に感じなくさせます。これが、コーヒーやお茶で眠気が覚める仕組みです。

ただし眠気や疲労を生じさせる物質はアデノシンだけではなく、他の仕組みで起きる眠気に疲労やカフェインは効きません。またカフェインは体力を回復させるものではないので、あとで十分な休養と睡眠が必要です。

カフェインや、花粉症の薬や、お酒（エチルアルコール）のように、脳に作用して精神活動や行動に影響をおよぼす物質は特別です。多くの物質は体内に入ってもまず脳組織に届きません。

脳は体内で厳重に守られているところで、たとえ体が感染症にかかっても、たいていの場合、細菌やウイルスは脳組織に侵入できません。**血管と脳組織の間は「血液脳関門（ブラッド・ブレイン・バリヤー）」という格好いい名前の壁が隔《へだ》てていて、血液に混じった病原体や脳に害をなす物質をこの壁が防ぎます**。熱が上がり腹を下し咳が出て関節が痛んでいるときも、脳は（たいてい）無事です。

花粉症の薬（抗ヒスタミン剤）の中には、化学的に特殊な性質を持つために、血液脳関門をすり抜けて脳に侵入し、脳細胞に影響をもたらす種類があります。そういうものは眠くなる副作用を持ちます。

血液脳関門で通せんぼされる薬剤は眠くなりにくいため、花粉症の薬もそういう性質のものが開発されています。体質にあった薬を選び、コーヒーやお茶でカフェインを摂取して、春を快適に過ごしましょう。（ちなみに筆者は紅茶党です。）

血液脳関門
脳組織
アルコール
花粉症の薬
カフェイン
ウイルス
細菌

カフェインで身を守ろう
カフェイン
毒だ
食べられないよ!
チャノキ

アデノシン（眠気を引き起こす）
ドン
受容体
絶対合格
目が覚めるー

人体

「鼻がむずむず」「目が痒い」……、花粉症がやっかいなワケ

春先は鼻がむずむずして目が痒《かゆ》くなる季節です。今や日本では3人に1人が花粉症患者と推定されていて、筆者もその1人です。

スギやヒノキの木が飛ばす膨大な数の花粉粒子のうち、圧倒的多数は地面に落ち、あたりをうっすら黄緑に染めて、その短い生涯（?）を終えます。うまくめしべにたどり着いて受精するのはごくわずかです。自然はときおりこういう効率の悪いことをします。さらにわずかな割合ですが、ヒトの目や呼吸器に迷い込む迷惑な花粉粒子もあり、花粉症の原因となります。

花粉粒子が目や鼻の粘膜《ねんまく》に付着すると、体内の異物処理班が働き出します。これはさまざまな細胞が協力して働く複雑で精巧なシステムで、「免疫《めんえき》機構」と呼ばれます。免疫機構は寄生虫や細菌やウイルスやガン細胞などから生体を守っています。

異物処理班は、花粉粒子という異物の表面の形に合致してくっつく「抗体《こうたい》」を探します。体内には無数の抗体がそろえてあって、異物がどれかの抗体に合致すると、異物処理班が働き出します。抗体に合致する異物は「抗原」と呼ばれます。

異物にくっつく抗体が見つかると、異物処理班はその抗体を大量生産します。体内で増殖する寄生虫や細菌やウイルスなどに対抗するには、抗体の大量生産が必要なのです。しかし体内で増えることはない花粉粒子に対しては、これは何だか大袈裟《おおげさ》な反応です。

生産された抗体は、異物を攻撃する役割の細胞に渡されます。この細胞は「マスト細胞」あるいは（太って見えるので）「肥満細胞」と呼ばれます。肥満細胞の表面に取りつけられた抗体に抗原がくっつくと、肥満細胞は「敵が来た！」とばかりに「ヒスタミン」などの化学物質を放出して攻撃します。この攻撃は寄生虫などには有効ですが、花粉相手には的外れです。**ヒスタミンは腫《は》れや炎症を起こす作用があり、そこが鼻の粘膜なら鼻がむずむずし、目なら痒くなります。花粉症の発症です。**

花粉症は免疫機構の的外れな戦いによって起きるといえます。的を外した花粉粒子が体内で的外れな戦いを引き起こしているわけですね。

実は花粉症患者はここ数十年増加しています。その理由は寄生虫や感染症の減少だという「衛生仮説」を支持する人もいます。本来、寄生虫や感染症に対して働く免疫機構が、相手がいないために花粉に対して発動しているというのです。また、日本ではスギの植林が進められ、そのためスギ花粉が増えたことも、原因として挙げる人もいます。なぜ花粉症が増えてきたか、花粉症になる人とならない人がいるのはどうしてか、まだはっきりわかっていないのです。

残念ながら、花粉症を根治《こんち》する治療法は今のところ確立していません。免疫機構は不明な点が多く、21世紀の医学の研究対象です。しかたないので対症療法として、鼻がむずむずしてきたら、ヒスタミンの効き目を抑える「抗ヒスタミン剤」を飲んだり点眼するなどして、花粉の襲来をやり過ごしましょう。優れた抗ヒスタミン剤を使えばむずむずをほとんど感じずに過ごせます。お医者さんに相談して、体質にあった抗ヒスタミン剤を処方してもらいましょう。

根本的な治療法が開発されるまでは、春は「清浄な空気が戻ってきてほしい」と念ずる季節です。

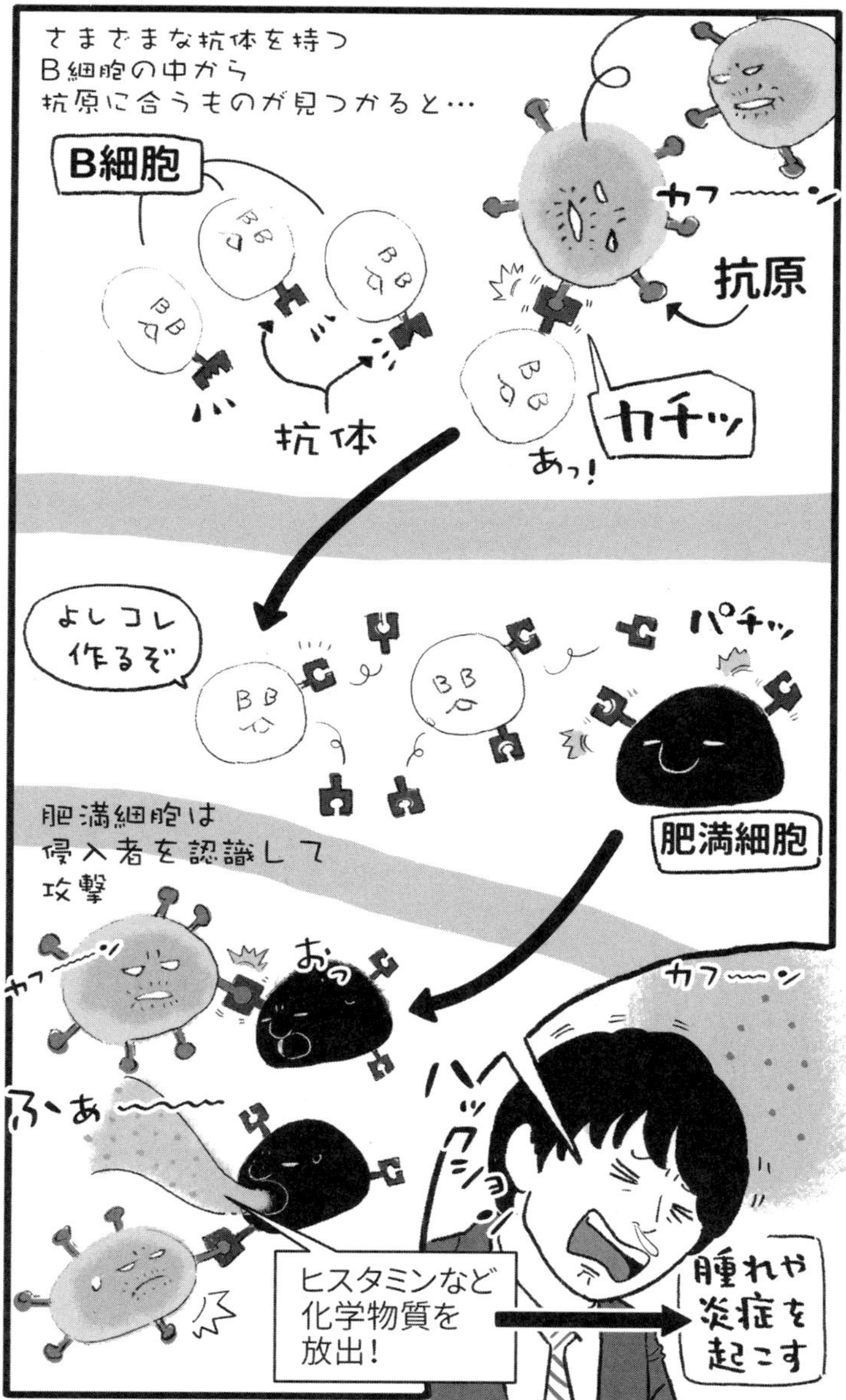
さまざまな抗体を持つ
B細胞の中から
抗原に合うものが見つかると…
B細胞
抗原
カフーーン
抗体
カチッ
あっ!
よしコレ
作るぞ
パチッ
肥満細胞
肥満細胞は
侵入者を認識して
攻撃
カフーーン
おっ
ふぁ〜〜〜
カフーーン
ハックショ
ヒスタミンなど
化学物質を
放出!
腫れや
炎症を
起こす

人体

「このケーキ美味しくて幸せ〜」は、どこで、どう感じている？

野菜の苦味が苦手という人がいます。人によって、好みや苦手な食べ物は違います。そうした個性は育った環境や食文化や経験などが複雑に影響して決まりますが、その人が生まれつき持っている性質も関係あります。味覚には遺伝による個体差があります。あなたの感じる野菜の苦さは、他の人の感じる苦さと違うかもしれません。

あんこ、茄子のぬか漬け、レモン、ブラック・コーヒー、昆布……。それぞれの味が思い浮かぶでしょうか。世の中には無数の食べ物があって、それぞれ独自の味があります。

これらの無数の味は、5種類の基本の味の組み合わせで作られています。「甘味」「塩味」「酸味」「苦味」「旨《うま》味」です。ただし、今回説明するように個人差があります。

甘味は「糖」という物質の味です。ヒトは体のエネルギー源である糖やデンプンの味を甘いと感じて欲しがることで、エネルギーを補給します。

塩味は「ナトリウム・イオンNa^+」の味です。ヒトはまた塩味も好みますが、これは体に必須のナトリウムを摂取するためです。ただし塩味への欲求は体の必要量を上回っているので、欲望のままに塩分をとると、高血圧になるなど、体に害があります。

酸味は「水素イオンH^+」の味です。物質が酸性かアルカリ性かはH^+イオンの濃度で決まります。ヒトが食べ物を酸っぱいと感じるとき、その酸性度を測定しているのです。

苦味はさまざまな「苦味物質」によって引き起こされます。そして旨味は「アミノ酸」の味です。

舌の表面を顕微鏡で観察すると、味を感じる小さな感覚器「味蕾《みらい》」が見つかります。味蕾は5種類の味に対応する5種類の味細胞を備えています。

例えば甘味を担当する味細胞の表面には、糖の分子にくっつく「受容体」という分子が設置されています。ここに糖分子がくっつくと、味細胞は「糖を見つけ！」という信号を発し、これが神経によって脳に伝わり、すると脳は甘味を感じて幸福になるという仕組みです。

5種類の味細胞は、こうした受容体か、あるいは「イオン・チャンネル」という別の種類の分子を用いて、受け持ちの分子やイオンを感知して、脳に報告します。これが味を感じる仕組みです。

受容体やイオン・チャンネルは、複雑で精巧な形状のタンパク質分子です。このタンパク質分子の作り方は、ＤＮＡという長い長いひも状の分子の片隅に記述されています。あなたの体内の細胞は、何らかのタンパク質分子が必要になると、細胞の持つＤＮＡを参照して作ります。

ＤＮＡに書かれた内容は個体によって微妙に違うので、味分子の受容体の形状は、全てのヒト個体で同じというわけではありません。そうすると、ある苦味分子は、あなたの持つ受容体にはぴったりですが、別のヒト個体の受容体にはうまくくっつかない、ということがあります。するとあなたはその苦味分子を敏感に感知して「苦い」と感じますが、同じ物を食べた別の誰かは「そんなに苦くない」と感じます。

例えばキャベツや大根などには苦味物質が含まれます。この苦味を敏感に感じる人と、そうでない人がいれば、これは野菜の好き嫌いに影響するでしょう。

ただし繰り返しになりますが、味の好みは環境や食文化や経験などによっても決まるので、野菜の好き嫌いで遺伝情報が判別できるわけではありません。

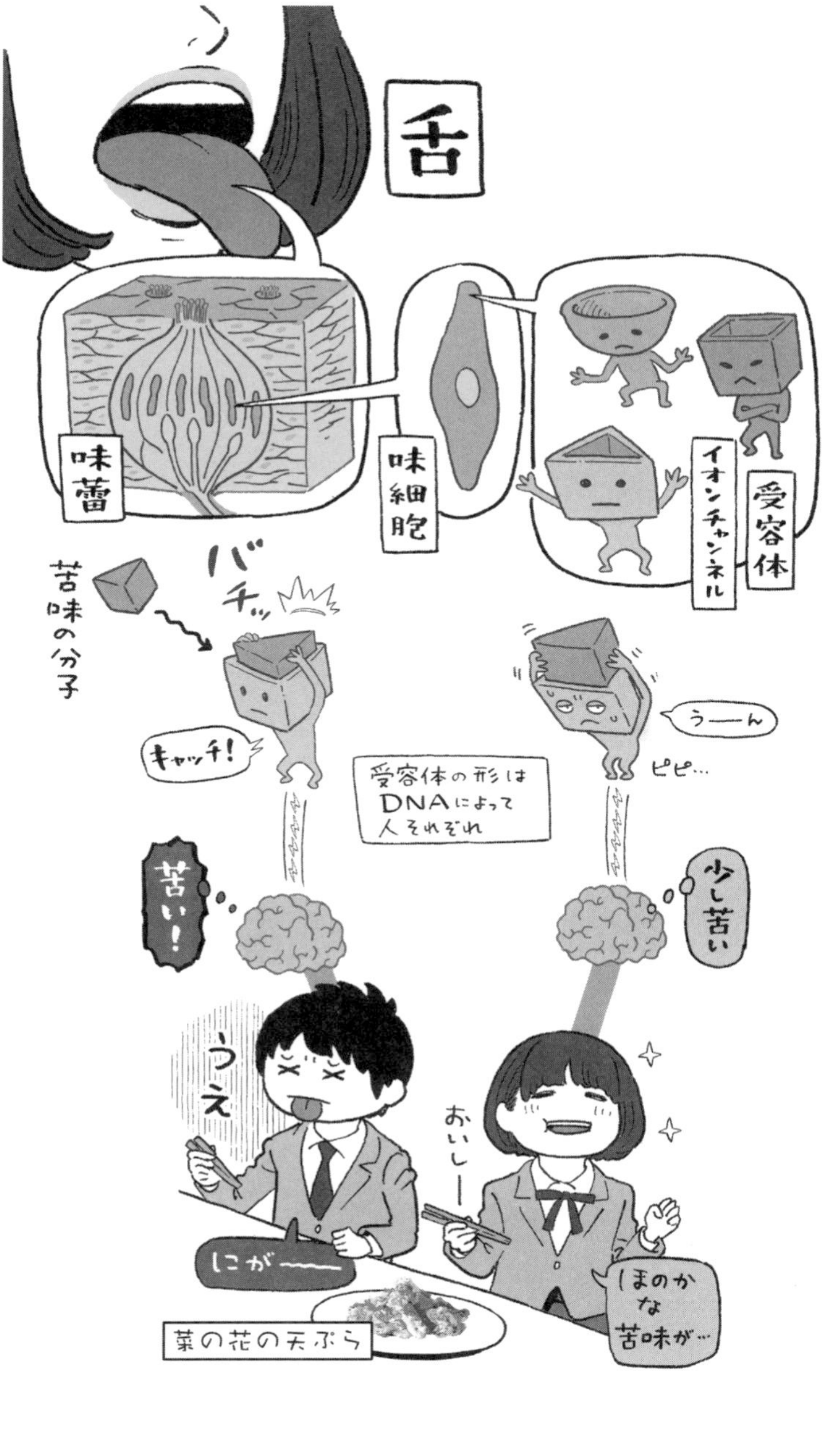
舌
味蕾
味細胞
受容体
イオンチャンネル
苦味の分子
バチッ
キャッチ!
うーーん
ピピ…
受容体の形は
DNAによって
人それぞれ
苦い!
少し苦い
うえ
おいしー
にが〜〜
ほのかな
苦味が…
菜の花の天ぷら

生物

「イヌは忠実」「ネコは気まま」は、進化に隠されていた？

イヌとネコは広く飼育されている家畜です。みなさんの家にも1匹や2匹、潜んでいるのではないでしょうか。

イヌとネコは姿形だけでなく、性格も人間に対する態度も違います。一般に、イヌは人間に忠実で協力行動を好み、ネコは自由な単独行動を好みます。（例外や個体差もあります。）犬好きの人はこういうイヌの性格に人間との絆《きずな》を感じ、猫派の人にはこういうネコの性格が大変魅力《みりょく》的に思えます。そしてときおり犬派と猫派は、どちらが優れたペットか、決して結論の出ない論争を繰り広げるのです。

この2大ペット動物は、どうしてこのような違いを持つのでしょうか。それは、この2生物種の起源から説明できるという考えがあります。

イヌは「家畜化」されたオオカミです。家畜化とは、野生の生物種（野生種）を品種改良し、人間に都合のいい性質に作り変えることです。

オオカミの家畜化は、1万年以上前に中国・西南アジア・北アメリカで独立に行なわれたということが、化石やDNAを調べることでわかっています。イヌはウシやブタなど他の家畜より何千年も早く、真っ先に家畜化された動物です。そしてイヌは、食用やミルクを取るためでなく、番犬用や狩りの供《とも》として使役《しえき》されてきました。

オオカミは群れで暮らし、仲間と協力して狩りを行ないます。群れを統率するのはリーダーです。

おそらく最初、私たちの祖先はオオカミを生け捕りにし、その子を試みに飼育したのでしょう。そうして飼われたオオカミは、人間をリーダーとみなし、人間の狩りに参加し、人間の群れを見張って守ったと思われます。オオカミの優れた嗅覚《きゅうかく》と脚力がどれほど獲物を追い詰めるのに役立つか、いうまでもありません。

以来1万年以上の間、人間とオオカミの共同生活は続き、その間に品種改良はオオカミの姿形を変え、食性を変えて肉ばかりでなく人間の食べ物も（ある程度）消化できるようにし、性格を変えてよりフレンドリーかつ忠実にし、現代のイヌを作り出しました。その品種改良は徹底的で、愛玩《あいがん》用の小型犬や闘犬などは、祖先のオオカミと似ても似つきません。

一方、ネコの野生種は北アフリカと西南アジアに暮らすリビアヤマネコといわれていま す。約1万年前、ネズミを捕るために家畜化されたと考えられています。古代のリビアヤマネコも、人家に巣くうネズミを目当てに、人間に接近してきたのではないでしょうか。そしてネズミを駆除《くじょ》したい人間との共同生活が始まったのでしょう。

リビアヤマネコは単独で狩りをし、リーダーを持ちません。そのため、イヌのようには人間に従いません。

イヌを含むほとんどの家畜の野生種は、群れをなしリーダーに従う性質を持ちます。これは家畜化の成功に重要で、群れもリーダーも持たない動物がおとなしく家畜化されるのは珍しいのです。

これによって、ネコの自由で気ままな性質が説明できます。**ネコは飼い主を群れのリーダーとみなすのではなく、家族とみなすのです。**そのためネコは飼い主の歓心《かんしん》を得ることにさほど熱心でなく、服従や芸を覚えることが（できなくはないが）困難なのです。

人間とイヌの関係、人間とネコの関係は、肉やミルクを搾取《さくしゅ》する一方的な関係ではなく、ネズミや狩りの獲物という相手に共同で当たるパートナー同士の関係なのです。

これが、人間の最良の友はどの動物かという（決して結論の出ない）議論に、他の家畜ではなくイヌとネコがライバルとしていつも争う理由でしょう。

オオカミ
群れをなし
リーダーの下で
狩りをするワン
家畜化
まて
リーダー
ジー
群れ

ネズミを捕るニャン
リビアヤマネコ
特にリーダーは
持たないニャン
家畜化
お手
?
家族

人体

「赤ちゃんかわいい!」と、感じるのに理由がある?

読者のみなさんの身近に赤ちゃんはいますか。赤ちゃんや幼児は愛らしい生き物です。その小さな体や、おぼつかないしぐさを見ると、保護したい、世話をしたいという気持ちが湧《わ》き起こります。(個人差、年齢差があります。)

ヒトの親子は強い愛情で結び付いています。多くの動物は、子育て行動を全くしなかったり、1年以内に子育てが終わったりしますが、ヒトは成熟するまで10年以上かかります。この長い子育て期間を持続させるため、ヒトの幼体は他の動物の幼体に比べても特別かわいらしく、またヒトの親は特別、愛情深くできているのです。

ヒトの赤ちゃんは未熟な状態で生まれてきます。寝転がったまま寝返りさえできず、排《はい》泄《せつ》の世話も必要です。歩けるようになるまで1年ほど、個体によってはそれ以上かかります。

赤ちゃんが未熟なのは当たり前と思うかもしれませんが、ヒトの新生児は他の動物よりも未完成です。哺乳綱《こう》、つまりけもののうち多くの種は、生まれた直後から歩けます。ヒトの赤ちゃんがこれほど無能力なのは、脳が未完成のまま生まれてくるからです。ヒトの脳は体に比べて大きすぎるため、もしも母体の胎内《たいない》で完成してから出産となると、頭が産道《さんどう》に詰まってしまうおそれがあります。そのような出産事故は命に関わります。

ヒトの新生児の脳は、成人の脳の4分の1ほどしかありません。また頭蓋骨《ずがいこつ》もばらばらの部品に分かれていて、産道を通り抜けやすいように変形します。

赤ちゃんの小さい脳は、3年ほどかけて成人の3分の2ほどまで成長します。これは哺乳綱の中で例外的に長い成長期間です。

おそらくヒトは、過去数百万年の間に、大きな脳と高い知能を獲得するとともに、未熟な状態で生まれてくるように進化したのです。

さてこうして誕生した、未熟で無能力で、成長に時間のかかるヒトの幼体は、長期間におよぶ手厚い世話が必要です。またその間、火気や機械、薬品など、数百万年前にはなかった新しい危険から、幼体を守らないといけません。未熟な脳を持つ幼体が、とことこ危険に近づいたり口に入れたりするのを、絶えず監視し、時には金切り声をあげて止めるのです。（守ったのに、たいてい感謝されませんが。）その他、教育、娯楽、予防接種と、やるべきことのリストはいくらでも続いて、現代の育児は目の回る忙しさです。

このような特別手間のかかる育児行動を促すには、特別強い、「愛情」と呼ばれる動機が必要です。愛情は生物に組み込まれている本能で、これが作動すると、育児行動を個体は喜んでするようになります。

幼体の、「体に比べて大きな頭」「顔に比べて大きな目」「舌足らずなしゃべり」といった、いわゆるかわいらしさは、保護者の愛情を作動させると考えられます。親に限らず、ヒト個体が幼体をかわいいと感じるとき、この仕組みが働いています。（個人差、年齢差があります。）また幼体の側も進化の結果、保護者の愛情をわき起こすように、かわいらしさが組み込まれたデザインをしていると考えられます。

この辺は筆者の推量ですが、ヒトが高い知能を持ち、成長期間が長くなるにつれて、愛情も進化したというのはありうると思いますよ。あなたの抱くかわいいという感情は、他の動物にはまねのできないヒトの証といえるかもしれません。

ヒトの脳は大きい
もし
脳が大人と同じ大きさでは出産がむずかしい…
赤ちゃんの脳は成人の1/4ほどの大きさ
だから
ヒトの赤ちゃんは他の動物より未熟
おぎゃあ
産まれてすぐ
すくっ
育児しまっせ…♥
ブッコロリおいちー
かっ
かわいい〜〜
愛情
シュピーーン

心理

あなたも心理法則「アンカリング」に逆らえない？

次の質問を人々にしたとします。

「アインシュタインが亡くなった年齢は、１４４歳よりも上ですか、下ですか？」

「それでは、アインシュタインは何歳で亡くなりましたか？」

相対論を思いついた天才アルベルト・アインシュタインは、実際には76歳で永眠しました。が、たいていの人はそんな科学史豆知識を知らないので、当て推量で答えるでしょう。当て推量するとしても、１４４歳以上と答える人はまずいないでしょう。

このとき、質問された人の思考に奇妙な現象が起きることが、心理学で知られています。最初に「１４４歳よりも上ですか、下ですか？」と聞かれた人々は、高めの年齢を答える傾向があるのです。一方、もしも最初に「10歳よりも上ですか、下ですか？」と聞かれると、人々は低めの年齢を答えます。

人間による数値の見積もりは、最初に与えられた数字に影響されてしまうのです。しかも、与えられた数字が間違いであることがわかっていても、影響を止めることはできないのです。

この影響を「アンカリング効果」といい、最初に与えられる数字は「アンカー（錨《いかり》）」と呼ばれます。

アメリカ・プリンストン大学の認知心理学者ダニエル・カーネマン名誉教授（１９３４〜）とエイモス・トヴェルスキー博士（１９３７〜１９９６）は（アンカリング効果の発見者ではありませんが）、この効果が予想以上に強力であることを、心理学実験を行なって示しました。

「あなたに一つ、ランダム（でたらめ）な数字を見せましょう。１４４ですね」

「それでは、アインシュタインは何歳で亡くなりましたか？」

右のように質問しても、人々の答えは最初のアンカーの数字に影響されるのです。人間は問題と無関係な数値を見せられても、そしてそれが無関係と知っていても、アンカリング効果から逃れられないのです。

アンカリング効果は衝撃的です。私たちは日常絶え間なく、あらゆる数値を推定し、判断や意思決定を行なっています。それらは実は、**直前に見聞きした無関係で些細《ささい》なアンカーに影響を受けていることになります**。自分の意思とはいったい何なのか、不安に駆《か》られます。

研究によると、不動産業者や裁判官などのプロフェッショナルが仕事上の判断をするときも、アンカリング効果は働いています。裁判官にサイコロを振らせる実験によると、出た目が判決の量刑に影響するというのです。

また、人を動かすうまい広告は、アンカリング効果や他の心理機構を巧みに応用しているものです。ただし、企業や団体などの広告主が、心理学を知った上で意識して使っているとは限りませんが。

心理学を経済行動に応用する学問分野は「行動経済学」と呼ばれます。カーネマン名誉教授は行動経済学への貢献によって、ノーベル経済学賞を受賞しました。（トヴェルスキー博士は1996年に死去したために、共同受賞はかないませんでした。）

行動経済学や、アンカリング効果を初めとする心理機構について学ぶことは、自分を知り、世の中の仕組みについて判断するために役立ちます。

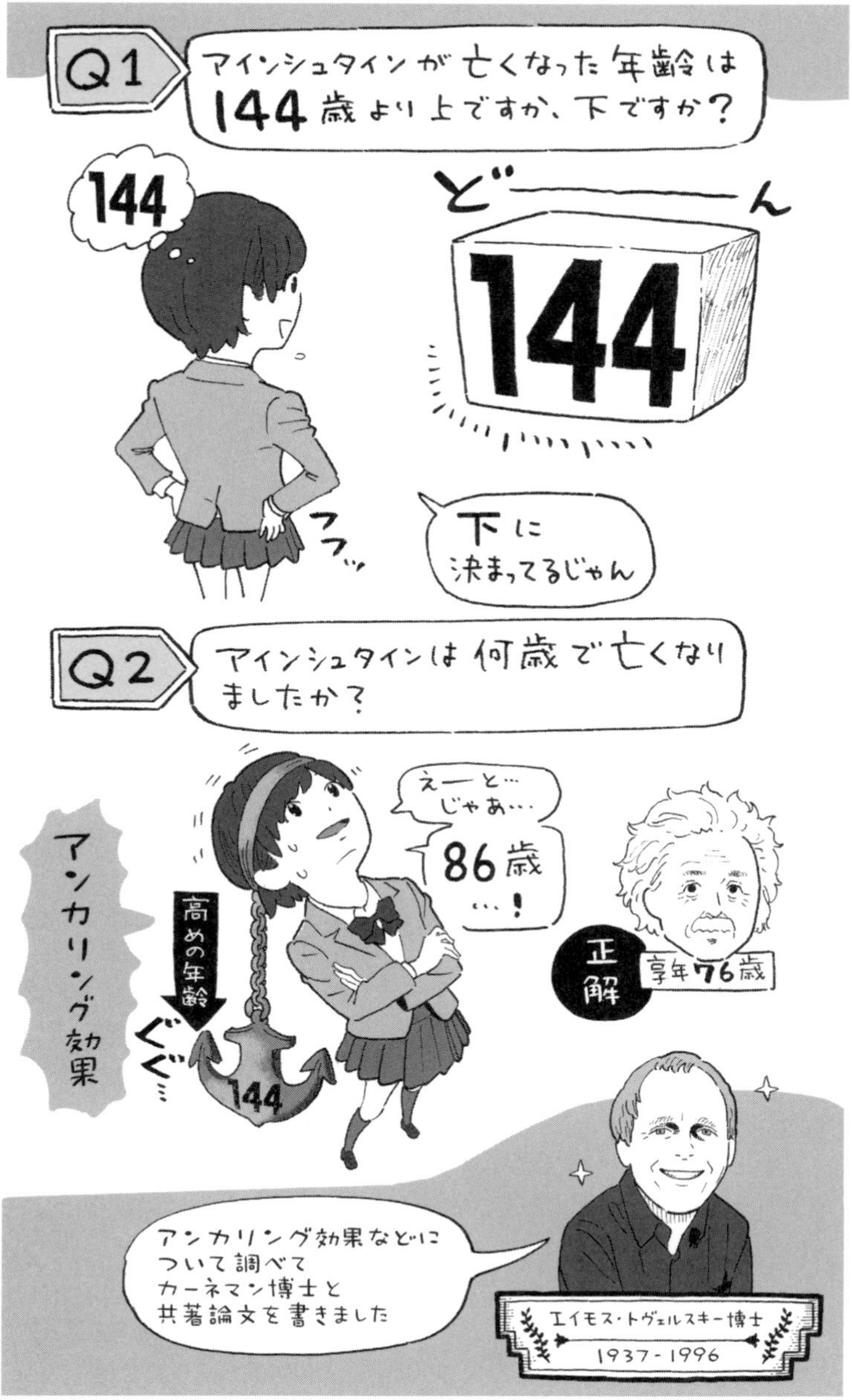
Q1
アインシュタインが亡くなった年齢は
144歳より上ですか、下ですか？
144
ど――――ん
144
フフッ
下に
決まってるじゃん
Q2
アインシュタインは何歳で亡くなりましたか？
えーと…
じゃあ…
86歳…！
アンカリング効果
高めの年齢
ぐぐ…
144
正解
享年76歳
アンカリング効果などについて調べて
カーネマン博士と
共著論文を書きました
エイモス・トヴェルスキー博士
1937-1996

心理

「初めて会ったのに当てられる!?」占いのカラクリ

おみくじ、星占い、血液型性格分類、(えせ) 心理テストなどなど、世には占いや性格判断のたぐいがあふれています。「あなたはこういう性格である」「こういうところがある」と指摘されて「何だか当たってるなあ」と驚いた経験は、誰でもあるのではないでしょうか。

根拠がない占いが当たるように思えるのはどうしてでしょう。その理由の一つは、それらが人間の心理の欠陥《けっかん》を巧みに利用するからです。

占いや性格判断に何かを指摘されると、信じやすい人間の心は、ついそれを裏付ける証拠を探してしまいます。

「あなたは○○座の人と相性がいい」といわれた人は、○○座の人と仲良くしたことをすぐに思い出しますが、△△座の人とも仲が良いことはとっさには頭に浮かびません。

「血液型が●型の人は真面目な性格」といわれた●型の人は、真面目に何かをやり遂げた経験は思い当たりますが、不真面目だと叱られた過去はなかなか思い出せません。

自分の信念と一致する証拠を探してしまう心理は「確証《かくしょう》バイアス」と呼ばれます。「バイアス」は「先入観」、「偏《かたよ》り」という意味です。

確証バイアスはどの人にも当てはまる心の仕組みですが、時には判断を誤らせます。占いを支持する証拠を探してしまうのもその一例ですが、他にも、ある人を優れていると信じ込むと、その人について考えるとき、正しい点ばかりが思い起こされ、誤りは見過ごされる、などということがあります。

ただし、占いをはなから信じていない人には、確証バイアスはこのようには働きません。むしろ逆に、占い師のいうことの反例のほうがより容易に思い浮かぶでしょう。

確証バイアスの他にも、判断を誤らせる多くの心理機構が見つかっています。また、人間の直観的判断は確率をうまく扱えないこともわかっています。

1974年、アメリカ・プリンストン大学の認知心理学者ダニエル・カーネマン名誉教授（1934～）は、『不確実性の下での判断――ヒューリスティックとバイアス』という論文を科学誌『サイエンス』に発表しました。

「ヒューリスティック」とは「正攻法でない別の解決方法」というような意味です。人間は「凶悪犯罪は増加しているか」というような、答えるには統計的な計算が必要な問題を、「最近の凶悪犯罪の例をいくつか思い出せるか」というような別の問題に置き換えて、（そして誤って）答えを導くことがあるのです。

人間を誤らせる奇妙な心理機構について述べたこの論文は大変評判になりました。カーネマン名誉教授は2002年にノーベル経済学賞を受賞しました。

確証バイアスを初めとする心理機構は、他にも深刻な判断の誤りを生むことがあります。政治指導者を信じ込むと、その政策の正しさの証拠しか目に入らなくなるかもしれません。差別的な考えにとりつかれると、差別される人々の欠点ばかり目につくようになるかもしれません。

確証バイアスなどの心理機構に騙されないためには、自分の信じたいことの反例を探すよう、常に心がけ、注意する必要があります。

血液型●のあなたは真面目な方ですね
当たってるかも
信じたいコト
そうではないコト
真面目に勉強したもんなぁ…オレ…
確証バイアス
自分の信じたいことを支持する証拠ばかり集めてしまう傾向
トヴェルスキー博士とともに人間の判断を誤らせる心理機構について研究しました
ダニエル・カーネマン名誉教授
1934～

数学

スマホ、銀行……、大切な情報はどのように守られてる？

読者のみなさんはあまり意識しないかもしれませんが、パソコンやスマホで買い物したり、銀行口座を操作したりするとき、知らず知らずのうちに暗号通信で守られているのです。その仕組みを見てみましょう。

1より大きな整数のうち、それ自身と1でしか割り切れない数を「素数」といいます。例えば2は、1と2でしか割り切れないので素数です。3も、1と3でしか割り切れないので素数です。5も素数です。7も素数です。こうして素数を探していくといくらでもあります。素数の個数は無限です。

一方、4は2で割り切れるので素数ではなく「合成数」と呼ばれます。6も合成数です。8も9も10も合成数です。偶数は2を除いてどれも合成数です。

合成数は素数の積で表わされます。12=2×2×3というぐあいです。このように合成数を素数の積に分解することを「素因数分解」といいます。

素因数分解は難しい問題です。コンピュータに素数をいくつか与えて掛け算をやらせると、これは瞬時に答えを出しますが、その答えを逆に素因数分解させると、(素因数をあらかじめ教えなければ)これには長い時間がかかります。**素因数分解をすばやく行なう計算手順（アルゴリズム）はまだ見つかっていないのです**。(存在しないかもしれません。)

素因数分解に時間がかかることは、「暗号通信」というコンピュータ技術に利用されています。

送信者はデータを暗号化して数字にして送り、受信者は受け取った暗号を解読して元のデータを得ます。この解読作業に素因数分解を組み込んでおくのが、暗号通信技術のミソです。鍵となる素数を教わっている受信者は、容易に素因数分解を行ない、暗号から元のデータを復元することができます。しかし鍵となる素数を知らない第三者は、たとえ通信を盗聴したとしても、暗号解読ができません。

勝手に誰かが私たちの銀行口座からお金を引き出したり、買い物したりすることを防いでいるのは、素因数分解の難しさなのです。

もし将来、素因数分解をすばやく行なうアルゴリズムが発見されたら、コンピュータ間の通信は簡単に解読され、犯罪に利用され、社会が混乱に陥《おちい》るかもしれません。素数にはそのような力があるのです。

素数は何千年も研究されていますが、いまだにその規則性すらわかっていません。「100番目の素数は?」という問題を簡単に解く公式は見つかっていないのです。(これが「100番目の偶数は?」なら、2×100=200と瞬時に求められます。)

整数のあるところならどこでも素数はありますが、素数かどうか意識しないと認識できません。日付、番号、物の個数など、身近に出現する数が素数かどうか、探してみるのはどうでしょう。

素数 ＝ { 2, 3, 5, 7, 9, 11, …… }

（いつまでもつづく）

合成数 ＝ { 4＝2×2, 6＝2×3, 8＝2×2×2, …… }

└ 素数の積で表わせる

素因数分解

【問】

素数 p × 素数 q ＝ ?

でも ↓ 不思議なことに…

【問】

巨大素数の積 R ＝ ? × ?

なぜなら 素数 の規則性がわかっていないから…！

01

「理系ワールド」にご招待

知識とユーモアに、わくわくする科学エッセイ

SF 作家アシモフは化学の博士号を持つ理系の人でもあり、また優れた科学エッセイ作家でもあって、大量の科学エッセイを生産しました。(アシモフは推理小説、歴史、人名辞典など、あらゆるジャンルの著作を大量生産しました。)

彼の科学エッセイはわくわくするような知識とユーモアあふれる文章の結合です。どの科学エッセイもおもしろくてためになりますが、初期に出版された『空想自然科学入門』を挙げておきます。

ただしこの本が書かれたときから現在までの間に科学が進展して、アシモフが未解明の謎としていることが、すでに解明されていたりします。そういうところを見つけながら読むのもまた楽しいです。

『空想自然科学入門』
アイザック・アシモフ著、
小尾信彌・山高昭訳、
早川書房

2章

「えっ！　そうだったの？」

教科書にない
理系の謎

生物

街中にある「空間除菌商品」のホントのところ

２０２１年５月、消費者庁《しょうひしゃちょう》は「携帯型の空間除菌用品の販売事業者」に「行政指導」を行ないました。空間除菌とは何のことで、どうしてそれを指導するのでしょう。今回はこれについて解説しましょう。

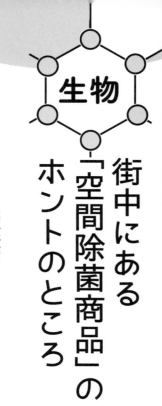

２０２１年５月現在、日本では新型コロナウイルスによる感染症の流行がまだ収まらず、人々は交流を控えて窮屈《きゅうくつ》な生活を送っています。マスクや、指先を消毒するアルコールなど、新しい道具や習慣が暮らしに入り込みました。その中に紛れ込んでいたのが「空間除菌」を謳《うた》う一群の商品です。

今回問題とされた、携帯型の空間除菌用品とは、首にかけて使用すると「空間のウイルスを除去」し、電車やバスやオフィスや会議室を「除菌・消臭」したり、「空間除菌」してくれると称する代物です。「二酸化塩素」という物質を発生するということです。**二酸化塩素は細菌やウイルスを殺す効果があるのですが、それは密閉した狭い空間に一定の濃度で満たした場合です**。これらの商品を首からぶら下げても、発生する二酸化塩素の濃度が足りず、宣伝しているような効果は得られません。

商品を宣伝するときに、嘘をついたり大袈裟《おおげさ》にいったりして、消費者(買う人)をだますことは、法律で禁じられています。消費者庁は、企業がそういうことをしないように見張る組織です。

今回、消費者庁は空間除菌用品を売る企業5社について、宣伝するほどの効き目はないとして、そういう宣伝をやめるように「指導」しました。

消費者庁がこのたぐいの商品の指導をするのはこれが初めてではありません。2014年にも空間除菌グッズは問題となり、販売する企業17社に、そういう表示を行なわないように「措置《そち》命令」が出されました。

しかしそうした「命令」や「指導」にも関わらず、携帯型の空間除菌用品や、他の(効果のない)除菌商品は、次々と現われる状況です。人々の不安から利益を得るそういう商法は、新型コロナウイルスの流行が収まるまで続くでしょう。

世には、効き目がないのにあると称したり、役に立たないのに立つと宣伝する商品が、残念ながらたくさんあります。その中には、科学の用語を使ったり、あるいは科学の用語になんとなく聞こえるような言葉を並べて、消費者を騙《だま》そうとするものもあります。

そういう、**科学のふりをしているが科学ではない何ものかは、「疑似《ぎじ》科学」とか「似非《えせ》科学」などと呼ばれます。疑似科学は科学と正反対のものです。**

ドラッグストアにも書店にもテレビにもインターネットにも、疑似科学の商品や主張は見つかります。今度それと意識して探してみるのはどうでしょう。その数に驚くかもしれません。

携帯型の空間除菌用品

ウイルスを殺すほどの濃度の二酸化塩素は発生しない
優良誤認表示として 消費者庁が5社に行政指導（2021年5月）

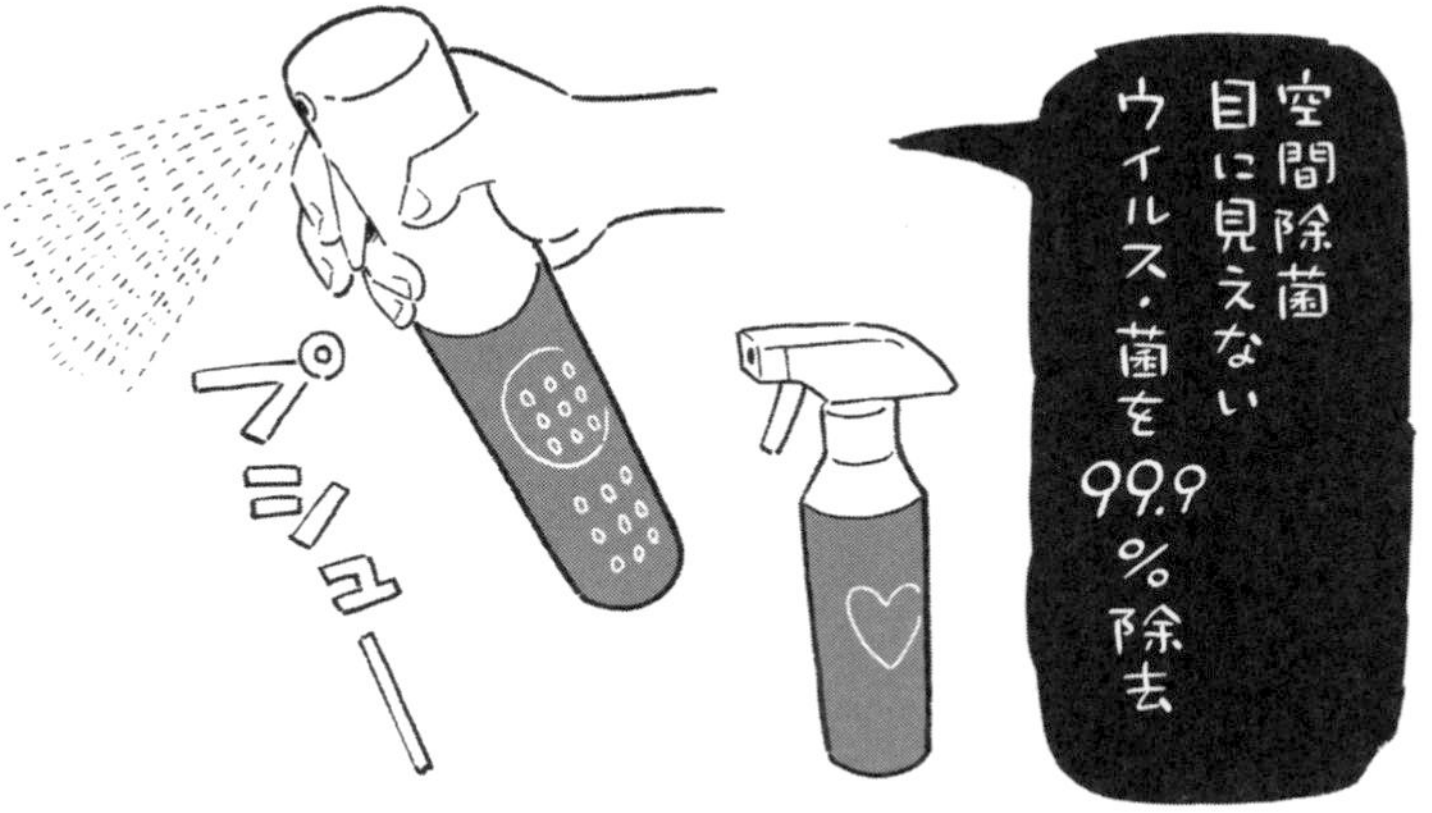

亜塩素酸による空間除菌を標ぼうするスプレー

優良誤認表示として 消費者庁が5社に措置命令
（2021年3月〜4月）

生物

感染症などから、数十億の命を救った治療薬の発見

2月12日はペニシリンの日です。細菌を殺す抗生物質ペニシリンは20世紀最大の発見ともいわれます。1941年2月12日、世界で最初のペニシリン注射が行なわれました。残念ながら最初の患者は死亡しましたが、以来、ペニシリンとそれに続く抗生物質は数十億人もの命を救っています。

1928年、スコットランド出身の英国細菌学者アレクサンダー・フレミング（1881～1955）は、細菌を培養《ばいよう》するためシャーレをたくさん用意しました。数日置くと、シャーレ内の培地（細菌の養分）に目的の細菌が繁殖《はんしょく》するはずです。

しかし、シャーレの一つは青カビが生えて、菌の培養に失敗していました。そのペニシリウム属という種類の青カビの近くでは、細菌（ブドウ球菌）が死滅していたのです。フレミングはこれが青カビに含まれる殺菌成分のためだと考え、その成分をペニシリンと命名しました。

これは、細菌を殺す「抗生物質」の発見でした。

ペニシリンは細菌が細胞壁を作るのを阻害《そがい》するため、細菌は溶けて死にます。青カビはペニシリンで細菌を防ぐのです。

ペストや結核やコレラといった伝染病、ハンセン病などの皮膚病、失明の原因となる眼病、食中毒、傷口から菌が入る破傷風《はしょうふう》など、さまざまな感染症が細菌によって引き起こされます。抗生物質もワクチンもない時代、ヒトの死因の多くは感染症によるもので、生まれた子供のおよそ3分の1は3歳までに死亡したと推定されます。

抗生物質ペニシリンは、人類が初めて手に入れた、細菌感染症のまともな治療薬でした。

フレミングの発見は斬新《ざんしん》過ぎたのか、当初研究者に無視されるのですが、10年後、オーストラリア出身の英国研究者ハワード・フローリー（1898～1968）とドイツ出身の化学者エルンスト・チェイン（1906～1979）が、これを治験（治療実験）に用いています。1941年2月12日、最初のペニシリン注射が患者に使用されました。患者は傷口から細菌に感染し、体が腫《は》れ上がり、高熱を発していました。

ペニシリンは効き目がありましたが、量が足りず、残念ながら最初の患者は死亡します。めげずにフローリーとチェインは治験を続け、成功例を増やしていきました。

1945年、フレミング、チェイン、フローリーは、ペニシリンとその治療効果の発見で、ノーベル生理学・医学賞を受賞します。

現在、乳幼児の死亡率は4％（日本は0・3％）に下がり、ヒトの寿命も約30歳から71歳（日本は84歳）に延びました。ペニシリンとそれに続く抗生物質の開発がなければこれはありえません。ノーベル賞を2、3回あげてもいいくらいです。

自然界の生物は他にも、細菌やウイルスと戦う仕組みを備えていると考えられます。そのごくごく一部が医薬品として利用されていますが、ほとんどは未発見です。身近にありふれた生物や水中にひっそり暮らす生物から、難病の特効薬が見つかるかもしれません。

おお
抗生物質
ペニシリン
青カビ
が作る物質
発見
アレクサンダー・フレミング
1881～1955
ヤーッ
殺菌
ぎゃあっ
細菌
うう…
細菌感染症
当時
3歳になるまでに
1/3が死亡
現在 世界の
乳幼児死亡率は
4％

生物

感染症VS科学！1ミリメートルより小さいものを見つけて、何が変わった？

２０１７年のノーベル化学賞は、スイス・ローザンヌ大学のジャック・ドュボシェ名誉教授（１９４２〜）、米国コロンビア大学のヨアヒム・フランク教授（１９４０〜）、英国分子生物学研究所のリチャード・ヘンダーソン博士（１９４５〜）の3氏が受賞しました。

彼らの業績、「クライオ電子顕微鏡の開発」とは、いったい何のことでしょうか。顕微鏡の黎明期《れいめい き》から原子・分子が見えるまでの歴史を振り返りましょう。

顕微鏡は、この世界の別の姿を見せてくれます。レンズを覗《のぞ》き込むと、一滴の水の中に生き物がひしめき、平凡な石ころの中に結晶がきらめいています。生物の体は、私もあなたもネコも大根も、細胞という粒が集まってできています。

顕微鏡によって、たった1個の細胞からなる細菌という微生物が発見されました。細菌のうちあるものは、命を奪う感染症の原因となります。**顕微鏡のおかげで、感染症が神の罰でも悪霊の呪いでもなく、微生物のしわざだとわかったのです**。19世紀ごろから、感染症の原因菌は一つひとつ特定され、正しい治療や有効な予防がもたらされました。

けれども感染症には、細菌ではなくウイルスによって引き起こされるものもあります。ウイルスは細菌よりもずっと小さく、普通の顕微鏡では見えません。

光を用いる顕微鏡の拡大率には限界があります。光は波の一種で、目に見える可視光は波長が380~770ナノメートルです。（1ナノメートルは1ミリメートルの100万分の1。）波長より小さな対象は普通の顕微鏡では捉《とら》えられないのです。

電子は物質を構成する極微の粒子の一種です。1931年、ドイツの物理学者エルンスト・ルスカ（1906~1988）の開発した電子顕微鏡は、光の代わりに電子を用い、光の波長よりも小さな対象を「見る」ことができました。

この発明により、ウイルスの姿が捉えられるようになりました。例えば1948年には天然痘《とう》ウイルスが撮像《さつぞう》されました。致死率の高い恐ろしい病気だった天然痘は現在根絶され、天然痘ウイルスは研究施設に厳重に保管された密閉容器内にしか存在しません。

こうして、**医学や生物学は、顕微鏡技術と歩調をそろえて発展してきました**。かつては、細菌やウイルスによる感染症によって、生まれた子供の3分の1は3歳まで生きられませんでした。顕微鏡の発明と病原体の発見がなければ、みなさんの多くはこの世にいません。

電子顕微鏡を発明したルスカは、どういうわけか１９８６年までノーベル賞を受賞しませんでしたが、その後、顕微鏡技術分野からは今回を含めて多くの受賞者が出ています。

ノーベル化学賞を受賞した3氏は、それぞれ別の手法で電子顕微鏡技術を革新しました。生体分子、つまり生物の体内で働くさまざまな分子を、電子顕微鏡で観察するには、その分子を細胞組織から取り出したり、集めて結晶にしたり、凍らせたりする処置が必要でした。そうなると撮像される姿は、活動を停止した、いわば死んだ生体分子です。

ヘンダーソン博士は、生体分子を組織から取り出さずに撮像する方法を開発しました。フランク教授の解析技術を使うと、生体分子が整列した結晶の状態になくても、その構造を調べることができます。

ドュボシェ名誉教授は、溶液中の生体分子を凍らせるのに、マイナス１９６℃の液体エタンにつけて一瞬で冷却する手法を開発しました。こうすると、氷の結晶によって生体分子が壊されるのを防ぐことができ、生体分子の「生きたまま」の姿を撮像することができるのです。単純で効果的で、まるでコロンブスの卵のような手法です。

これらの技術は現在進行形で生命の謎を解明し、病気の新しい治療法をもたらしているのです。

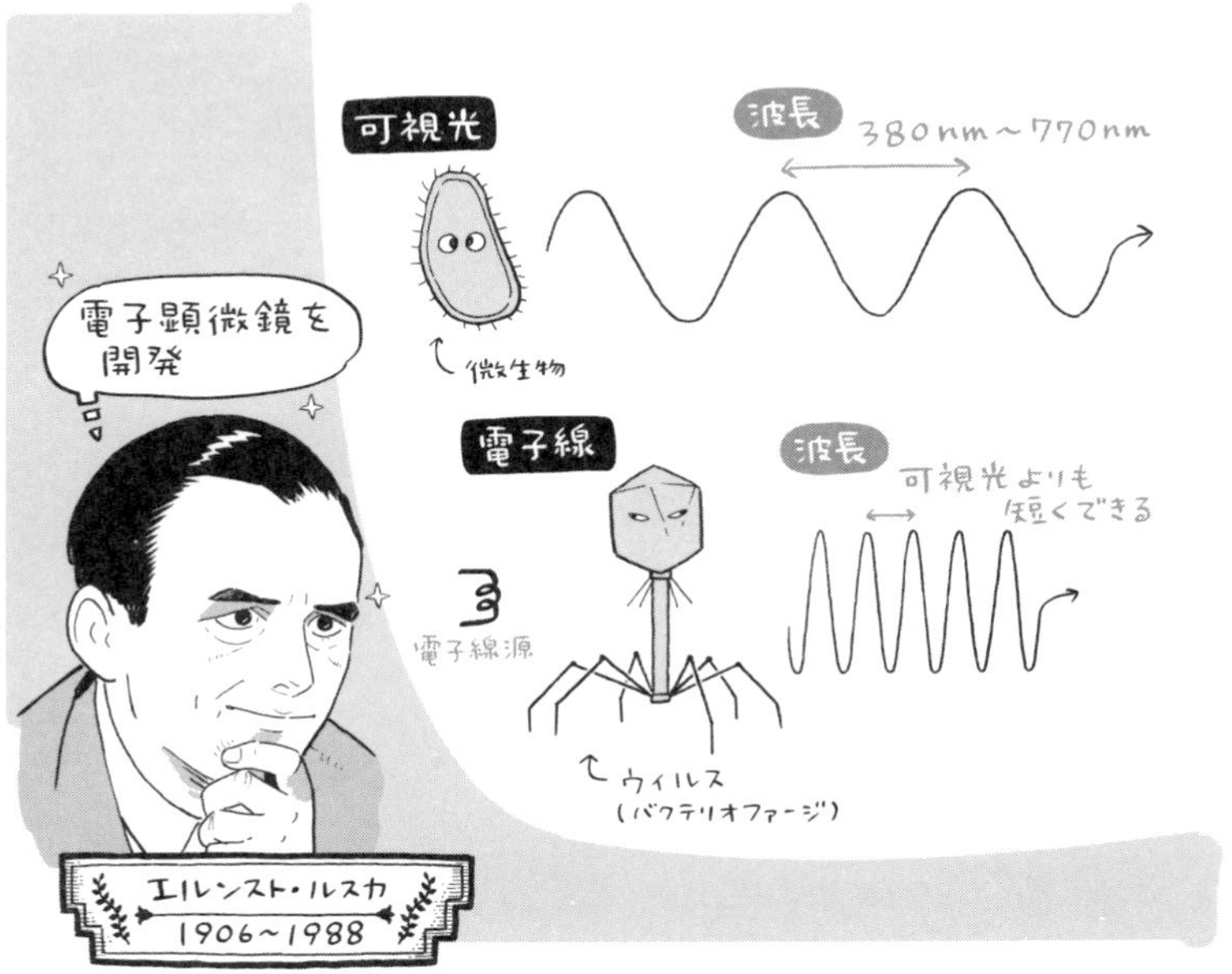
電子顕微鏡を開発
エルンスト・ルスカ
1906～1988
可視光
波長
380nm～770nm
微生物
電子線
波長
可視光よりも短くできる
電子線源
ウィルス
（バクテリオファージ）

たとえば
たんぱく質を電子顕微鏡で観察したい
生物の体をつくる材料
そのためには
方法の一つとして
たんぱく質を凍らせることが必要
BUT!
凍らせると氷の結晶が画像を乱しちゃう
瞬間的に凍らせば結晶できないんじゃね？
金網にサンプル液をたらしたもの
瞬間冷却
液体エタン
液体窒素
−196°C
ジャック・ドュボシェ
1942～
すると
氷の結晶ができない

数学

1週間で10人増えた感染者が、8週間で1億人に!?

新型コロナウイルス感染症が世界中に流行しています。増えていく感染者や死者の数字は、見るのが怖いほどです。しかしその数字の読み方がわかれば、どのように増えるのか、どう止まるのか、予想ができます。感染者の増加の数学について解説しましょう。

感染者から未感染者へ伝染していくタイプの感染症は、多くの場合、感染者が倍々で増えていきます。

例えばある感染症の感染者が1人から10人に1週間で増えると仮定しましょう。すると感染者は最初1人でも、1週後には10倍となります。2週後にはさらに10倍になり、100人に増えます。3週後にはさらに10倍の1000人です。これが**「指数関数的」増加です**。**「ねずみ算式」増加とも呼ばれます**。

この調子で増えていくと、8週後に感染者は1億人になり、それから1日も経たずに日本の人口を超えます。世界人口の78億人を超えるのはたった9週間と6日後です。指数関数的増加は驚くほど急速です。

もちろん感染者が人口よりも多くなることはありえませんが、もしも人口を超えて指数関数的な増加が続くと、何が起きるでしょうか。計算を続けてみましょう。

感染者の平均体重を50キログラムとすると、全感染者の体重は23週間と13時間で地球の質量を超えます。太陽の質量を超えるのは28週間と5日後です。さらにその12週後には天の川銀河の質量を超えます。

1年後には感染者は10^{52}人を超え、その全体重は、宇宙の観測可能な範囲に存在する全物質の質量に匹敵します。

これが指数関数的増加の威力です。

現実の感染者数は、どこまでも指数関数的に増加するわけではありません。当たり前ですね。どこかで頭打ちになり、増加が止まります。感染者が増加し続けるための条件が満たされなくなるからです。

具体的には、未感染者の減少、感染者の隔離などの対策、人々の行動の変化（うがい、手洗い、外出を控えるなど)、治療薬やワクチンの普及、季節や気候の変化などが挙げられるでしょう。他にも多くあるはずです。

幸いなことに、**科学技術の進歩もまた指数関数的です**。現在の人類は、新しい病気に対処するための、高度な知識とテクノロジーを持っています。新型コロナウイルスは、新しい分子生物学や医療技術を用意して待ち構えていた人類の前に、のこのこ現われた実験台のようなものです。

現に新型コロナウイルスは、発生の報告からほんの数週間で正体が突き止められ、その3、4日後には遺伝情報が明らかにされました。一方、新型でないコロナウイルスは、1967年に発見(分離)されてから遺伝情報が読み取られるまで、38年かかっています。単純に比べて実に数千倍の速度向上です。

またワクチンは、すでに実用化されたものが数種類あります。最初のものは、遺伝情報が読み取られてほんの数週間で開発されています。

2021年5月現在、本書執筆時点で、新型コロナウイルスのワクチンは日本での接種が始まったところで、普及にはまだ時間がかかります。それまでの数カ月〜1年の間、感染速度をゆっくりにして、なるべく感染者を少なくしなければなりません。中国などいくつかの国や地域では、それに成功しています。

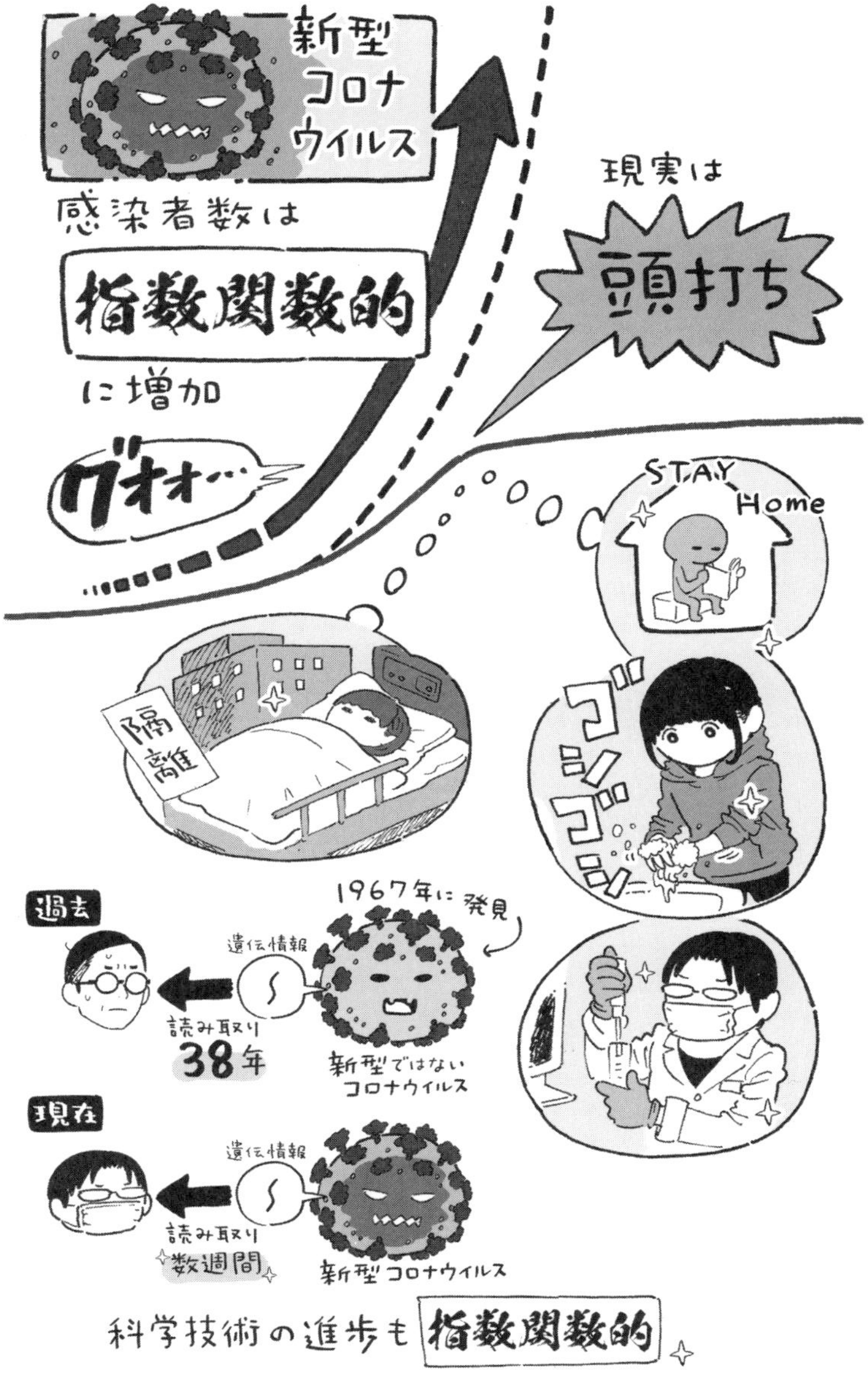

科学技術の進歩も 指数関数的

生物

草食動物は、実は草を消化できない!?

秋は食べ物の美味しい実りの季節です。ウシやウマやサイやキリンといった草食動物は、美味しそうにむしゃむしゃ草や葉を（食欲の秋に限らず年中）食べています。ときには紙まで食べます。

「実は、草食動物も草や葉を自力で消化できない」、といったら驚くでしょうか。草や葉を自力で消化できる動物はほとんどいないのです。

草や葉など、植物の体は主に「セルロース」という物質からできています。セルロースは丈夫な物質で、人間はこれを利用して紙や布や木材を製造しています。

この丈夫なセルロースを食べるウシやウマやジュゴンなどの草食哺乳綱は、長くて立派な消化器官を持っています。ウシの胃は4個に分かれ、ウマやジュゴンは巨大な盲腸《もうちょう》を持ちます。

そしてこれらの消化器官には微生物が住んでいて、セルロースをせっせと分解し、宿主が吸収できる物質に変化させています。宿主の消化器官で生きるように適応した特別な微生物です。宿主の消化器官のほうも、この微生物を住まわせるのに適した形態に進化してきました。

このように、**異なる生物種が協力し、互いに頼って生きることを「共生《きょうせい》」といいます。草食哺乳綱と消化器官内のセルロース分解微生物は共生しているのです。**

セルロースを分解するために、前記の微生物を含む生物が生産する物質を「セルラーゼ」といいます。動物がセルラーゼを生産できれば、原理的には自力で植物を消化でき、草や葉をむしゃむしゃ食べられることになります。

哺乳綱（脊椎《せきつい》動物）に限らず、節足動物や軟体動物などを含めたあらゆる動物の中で、セルラーゼを生産できる生物種はほとんどありません。シロアリ（節足動物）や、地面の中に住む線虫（線形動物）というひものような生物など、ごくわずかな例が見つかっているだけです。

これは何だか意外です。そこら中に生い茂った植物を消化分解する能力は、なぜか限られた動物しか持っていないのです。

もちろん、生物全体ではセルラーゼは珍しい物質ではありません。朽木《くちき》に生えるキノコなどは植物の体を分解できます。植物自身ももちろんセルラーゼを持っていて、自分の体の不要な細胞を分解するのに使います。セルラーゼを誰も生産できなかったら、たちまち地球は植物の死骸で埋まってしまいます。

いろいろ生物種が出てきたので少々整理すると、キノコは「菌界」という生物グループに属します。「菌界」「植物界」「動物界」はそれぞれ別の生物グループで、細胞の構造が違います。動物界は「門」という小グループにさらに分かれ「脊索《せきさく》動物門」「節足動物門」「線形動物門」など、約30の門が現在知られています。ただし分類学の進歩は急速で、この分類も近い将来変更されるかもしれません。哺乳綱は体毛を持ち、体温が高く、胎生で、子に乳を与えるなどの特徴を持つ動物のグループで、脊索動物門に含まれます。

どうしてセルラーゼを生産する動物がごくわずかしかいないのか、実はよくわかっていません。

ウシもウマもコアラもゼブラフィッシュもカイコもイナゴも、どの動物も自力で植物を消化しないということは、自力で植物を消化すると生存に関わるような不都合が生じるのでしょうか。野菜を食べながら考えてみるのはいかがでしょう。

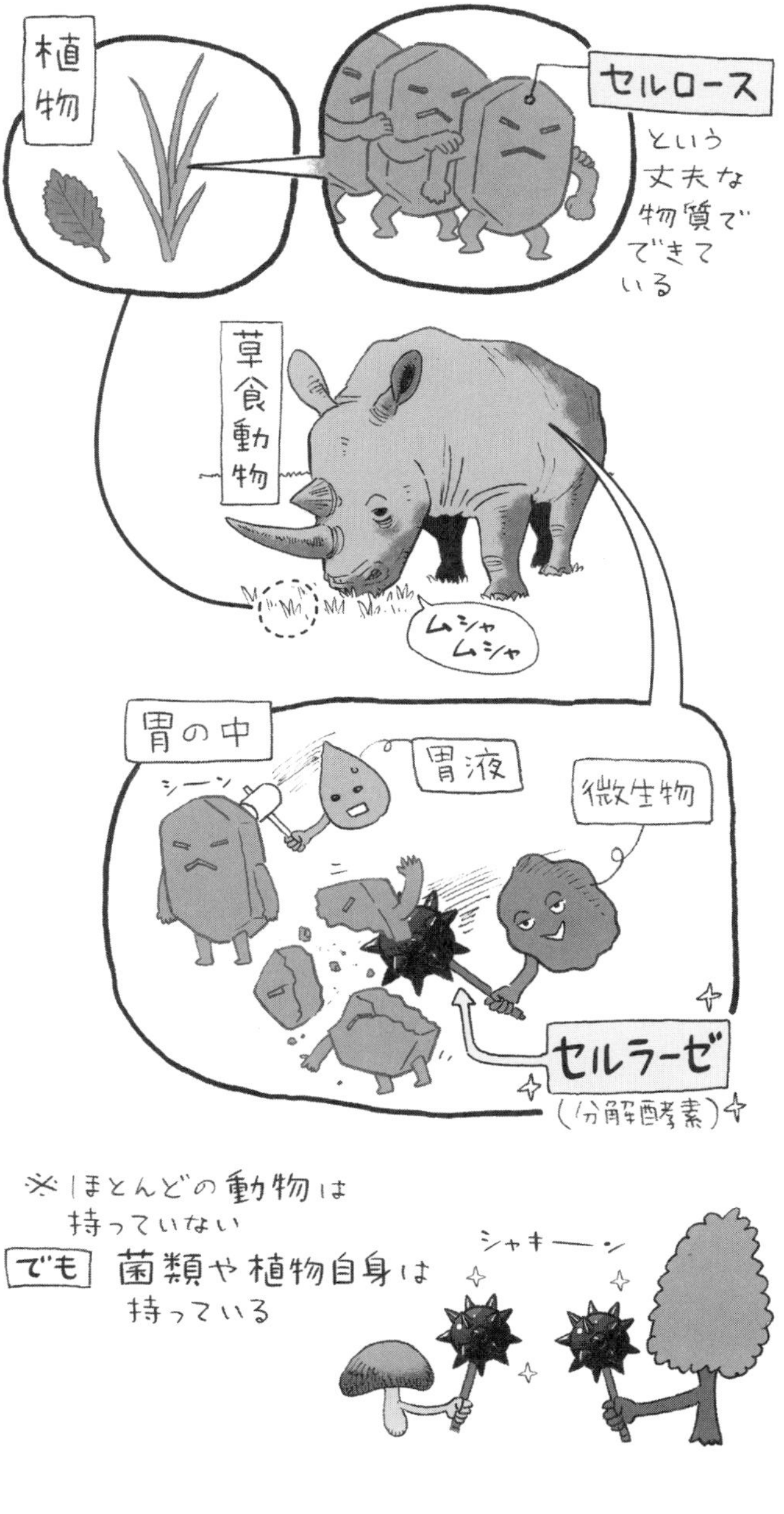
植物
セルロース
という丈夫な物質でできている
草食動物
ムシャムシャ
胃の中
胃液
シーン
微生物
セルラーゼ
（分解酵素）
※ほとんどの動物は持っていない
でも 菌類や植物自身は持っている
シャキーーン

化学

真紅、緑、黄、紫、青……、花火の色はなぜカラフル？

夏は花火の季節です。夏は毎晩のように、どこかの夜空を打ち上げ花火が彩《いろど》り、線香花火に人々が見入っています。

花火のあの美しい色は、どのように付けられているのでしょうか。絵の具を燃やして色を出しているわけではありません。

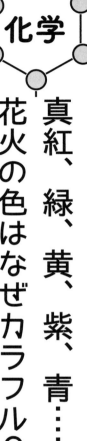

ある種の物質は炎にさらすと、元の地味な色から想像できない鮮やかな色で炎を染めます。「炎色《えんしょく》反応」と呼ばれる現象です。

例えばストロンチウム（Sr）という物質を針の先につけて炎に触れると、炎は真紅になります。バリウム（Ba）という物質なら緑、ナトリウム（Na）は黄、カリウム（K）は紫といったぐあいです。セシウム（Cs）は青の炎色反応を示すため、青空の色を意味するラ

四六判・B6判並製

元捜査一課刑事が明かす手口
スマホで子どもが騙される
あなたの子どもがスマホで誰とつながり、何をしているのか!
佐々木成三　1540円

保健室から見える
親が知らない子どもたち
元保健室の先生が伝える「子どもの心の処方箋」
桑原朱美　1540円

心療内科医が教える
疲れた心の休ませ方
「3つの自律神経」を整えてストレスフリーに過ごしていくためのヒント
竹林直紀　1650円

他人に気をつかいすぎて
疲れる人の心理学
相手に対して報われる努力・ムダになる努力の違いとは?
加藤諦三　1540円

あなたの意のまま願いが叶う☆
クォンタム・フィールド
神秘とリアルをつなぐ量子場の秘密
佳川奈未　1562円

回想脳
脳が健康でいられる大切な習慣
脳医学者が教える、生涯健康脳で生きられる「回想脳ワーク」
瀧　靖之　1540円

[B6判並製]
「いいね」を言葉に変える
ほめツボ辞典
人間関係がまるくなる20の方法・全500フレーズ!
話題の達人倶楽部【編】　1540円

ひといちばい敏感な子
HSC(とても敏感な子)の個性を生かして育てるために親ができること
エレイン・N・アーロン　2090円

[B6判並製]
文系も理系もハマる
数学クイズ100
大人気「数学のお兄さん」が出題する、思考センスが磨かれる数学クイズ
横山明日希　1100円

人生、降りた方がいい
ことがいっぱいある
「降りる」ことで人生後半が豊かになる働き方・生き方
清水克彦　1540円

子宮内フローラを整える習慣
「妊活スープ」で妊娠体質に変わる
予約が取れない産婦人科医が教える「妊娠体質」に変わる食習慣
古賀文敏　1540円

大人になっても
思春期な女子たち
物語を読むことで問題解決の糸口が見えてくる「カウンセリング小説」!
大美賀直子　1540円

[B6判並製]
面白いほど記憶に残る
迷わない漢字
一流の「漢字知識」と「語彙力」が面白いほど身につく本
話題の達人倶楽部【編】　1485円

気もちの授業
70万人の心を動かした講演家が贈る、頑張ってしまう人へのメッセージ
腰塚勇人　1518円

仕事ができる人の話し方
【対面】【オンライン】で使い分ける話し方パターン130!
阿隅和美　1980円

独立から契約、保険、確定申告まで
フリーランス六法
フリーランスが安心して働くための「法律」と「お金」の知識決定版!
フリーランスの働き方研究会　1540円

表示は税込価格

テン語「セシウス」にちなんで命名されました。

どんな色の炎色反応を示すかは物質によって異なるので、混合物の炎色反応を見れば、そこにどんな物質が含まれているか、わかります。セシウムを含むいくつもの元素が、炎色反応を利用して発見されました。試料の炎色反応を調べたところ、これまでに知られているどの元素とも違う色を示したので、そこに新元素が含まれるとわかったのです。炎色反応の実用的な応用です。

炎は化学反応で熱せられた物質の蒸気が発光しているものです。

高温の炎の中では、蒸気の正体である原子や分子が激しく飛び回り、ぶつかり合っています。そうした衝突の拍子に、原子や分子はエネルギーの高い状態（励起《れいき》状態）になることがあります。原子や分子がエネルギーを放出して元に戻る際、電磁波（可視光や赤外線や電波など）が出ます。

この電磁波の波長は原子・分子の種類によって決まっています。これをヒトの目で見ると、（目で見える波長なら）原子・分子によって違う色が見えます。これが炎色反応の原理です。

炎色反応は、ブンゼンバーナーと白金製針金などの専用実験道具を使わなくても、味噌汁の付いたフォークをガスこんろの青い炎にさらしても確かめられます。やけどや火災に注意して実験してください。黄色は塩分のナトリウムの炎色反応です。

ついでにいうと、都市ガスやプロパンガスの炎の青も炎色反応です。炭素（C）を含む分子（CHやC_2など）が発光しています。空気の混合比が少ないと炭素の多い分子（C_3など）が増え、これは炎を黄色にします。

この黄色はたき火の炎の色でもあります。たき火も実は炎色反応で色づいているのです。

そして花火は炎色反応の直接の応用です。炎色反応を示す物質を火薬に混ぜると、真紅や青や黄やその混合色を発する花火になるわけです。

花火鑑賞の際は、そのあでやかな色が、ストロンチウムやバリウムやナトリウムといった物質の炎色反応によることを思い出してください。原理を知れば、花火は一層美しく、趣《おもむ》き深く見えることでしょう。

それは科学の趣きなのです。

ナトリウム Na 黄

カリウム K 紫

カルシウム Ca 黄

銅 Cu 青緑

ストロンチウム Sr 真紅

セシウム Cs 青

バリウム Ba 緑

科学

イグ・ノーベル賞が「おもしろおかしい賞」ではない真の意味

「人々を笑わせ、それから考え込ませる業績」に与えられる「イグ・ノーベル賞」。物理学賞、平和賞、経済学賞などの分野の研究（？）グループに授与されます。

受賞した業績の中には、一見すると冗談のようですが実はいたって真面目な研究や、いかめしい研究論文の体裁をとった冗談論文、研究と呼べるかどうか疑わしい疑似科学などが入り混じっています。

例えば2017年の物理学賞は、フランスなどの研究者による『ネコのレオロジー』という論文に与えられました。「レオロジー」とは、流体と固体の両方の性質を合わせ持つ物質を研究する学問分野です。この論文はレオロジーの学会誌に掲載されたもので、ネコが流体のように流れ動いたり容器を満たしたりする様子を、レオロジーの手法でしかつめらしく記述した冗談論文です。読者は笑いながらレオロジーの基礎について学ぶことができる仕組みで、よくできた冗談です。

2017年の生物学賞は、日本などの研究グループによる『洞窟の中で進化した昆虫のメスの男性器とオスの女性器』の研究が受賞しました。これは、ブラジルの洞窟で見つかった昆虫の生殖行動についてのごく真面目な研究です。3ミリメートルほどのチャタテムシのメスが男性器のような器官を持ち、それを使ってオスと交尾することを解明しました。

日本人はイグ・ノーベル賞の「常連客」で、2007年から14年間連続受賞という目覚ましい実績（？）があります。話題になった受賞には、例えばおもちゃ「たまごっち」があります。多数の人の膨大な時間をたまごっちの世話に費やさせたという功績で、開発者は1997年の経済学賞を授与されています。

また「変形菌（粘菌）」という動き回るカビのような奇妙な生物に、迷路を解かせたり、鉄道の路線図を作らせたりする実験は、とりわけイグ・ノーベル賞選考委員会に気に入られたようで、これを行なった日本の研究者は2008年に認知科学賞を、さらに2010年に交通計画賞を受賞しています。

イグ・ノーベルの名は、「イグノーブル（ignoble）」と「ノーベル賞」とをかけた駄洒《だじゃ》落《れ》です。**イグノーブルは「下品な」「不名誉な」という意味の形容詞で、つまり「下品な**

ノーベル賞」「不名誉なノーベル賞」を意味します。

イグ・ノーベル賞は1991年に雑誌編集者で会社経営者（当時）のマーク・エイブラハムズらによって創設されました。授賞式は1年に1回アメリカで開催され、本家ノーベル賞の受賞者が参加して、イグ・ノーベル賞受賞者に賞を手渡します。

イグ・ノーベル賞は、ここに挙げたような無害な冗談や愉快な科学研究ばかりに与えられるのではありません。人を惑わす疑似科学の「研究」や、愚かしい政治的行為に対しても、皮肉を込めてイグ・ノーベル賞が授与されてきました。1996年には、ジャック・シラク・フランス大統領（当時）が、広島への原爆投下50周年に核実験を行なった「功績」で平和賞を贈られています。核実験や核兵器の開発に対して、イグ・ノーベル賞選考委員会は抗議の意を込めて、たびたび賞を与えています（が、そうした受賞者が授賞式に現われることはめったにないようです）。

イグ・ノーベル賞は年々有名になり、本来の意図と違って受賞を名誉と思う人も出てきました。英語の洒落が通じにくい日本人に、特にそういう傾向があるようにも感じられます。イグ・ノーベル賞を無邪気に喜ぶ層が増えると、賞に皮肉や批判を盛り込むのが難しくなります。イグ・ノーベル賞のいささかブラックな味が薄れたら残念です。

イグ・ノーベル賞
2017年
物理学賞
「猫は個体かつ液体なのか？」
猫は固体に決まって…
…
液体…？
2016年
知覚賞
「股のぞき効果」
股のあいだから
見ると
実際よりも
小さく見える
天橋立《あまのはしだて》
お――
2019年物理学賞
「ウォンバットはなぜ、いかに立方体のウンコをするかの研究」
Q
問題
どうして僕たちのウンコは
立方体
なのでしょうか？
いや、そのこと自体初耳…！
A
答え：腸がふくらむとき四角になるから
ウンコ
やわらかい
かたい
ウォンバットの腸
スピーチの制限時間
を超えると登場
Please stop.
I'm bored.
（もう止めて。飽きたし！）
ミズ・スウィーティー・プー
（8歳の女の子）

物理

鋭利に凍らせた「うんこ製ナイフ」で料理を作れる?

2020年9月18日（日本時間）にイグ・ノーベル賞（前項参照）が発表されました。音響学賞、心理学賞、経済学などの10の受賞業績はどれも、「こんなことを大真面目にやっている人がいるのか」と開いた口がふさがらない内容です。その中でもとりわけ鮮烈だったイグ・ノーベル材料工学賞を紹介しましょう。

授賞式はいつもならハーバード大学サンダース・シアターで執り行なわれるのですが、今回は新型コロナウイルス感染症のためにオンラインでの開催となりました。

人類学者・作家のウェイド・デイヴィス氏（1953〜）は、1998年の著作『Shadows in the Sun（太陽の中の影）』の中で、イヌイットの老人が自分の排泄物を材料としてナイフを作り、犬を屠《ほふ》るエピソードを紹介しました。このエピソードは有名になり、学術文献にも大衆文化にも広く浸透し、使われました。

しかし最近、デイヴィス氏の著作や作品には事実に基づかない記述が多々あることが指摘され、批判の対象となっています。

米国ケント州立大学とクリーブランド自然史博物館の人類学研究者メティン・エラン博士、ミッシェル・ベッパー博士らのグループは、デイヴィス氏の記述を確かめるため、人糞を使ってナイフを作る実験を行ない、結果を論文として発表しました。

実験は大学の生命安全委員会の承認を得て行なわれました。エラン博士は8日間にわたってタンパク質と脂肪の多いイヌイット流の食事をとり、5日間分の排泄物を採取しました。

これを材料に、手や鋳型《いがた》を使ってナイフを成形し、マイナス20℃で凍結させました。論文にはこの作業工程が写真入りで説明されています。**科学論文は、読者が追試を行なって確かめることができるように書かれていなければならないのです**。

このナイフを用いて、同じくマイナス20℃で凍らせた豚の皮、筋肉、腱《けん》の切断を試みましたが、ナイフは溶けるばかりで成功しませんでした。

また、ベッパー博士も別の食事を原料とする試料を供出《きょうしゅつ》して、同じ実験を行ないましたが、やはりナイフは役に立ちませんでした。

結論として、デイヴィス氏の紹介したエピソードは実行不可能でした。

この研究は、めでたく(?)イグ・ノーベル材料工学賞を受賞しました。受賞理由は、論文タイトルそのままの「凍結した人糞から作ったナイフは役に立たないことの実証」です。

それにしてもこれは、かぐわしさに涙が出そうな実験です。研究室はしばらく使えなかったでしょう。

ここから得られる教訓ですが、嘘を訂正するには、嘘をつくことの何倍もコストがかかるのです。

このエピソード…
ホンマかいな？
疑問《ヒマ》
shadows in the Sun
ウンコを凍らせてつくったナイフ
イヌイットの老人
グサリ
犬
1
よし！検証してみよう！
2
イヌイットと同様の食事
モグ
モグ
3
排泄
4
凍らせてナイフに形成
※自主規制
5
切ってみる
切れないよ…溶けちゃうし
くさいし
ひ――……

02

「理系ワールド」にご招待

動物と人間の愛情あふれるエッセイ

ローレンツ博士は動物好きが高じて無数の動物を飼育し、観察し、動物行動学という学問分野を創ってしまいました。博士は動物の発する鳴き声やしぐさなどのシグナルからその心理を巧みに解読することができたので、まるで動物の言葉がわかるようだといわれました。ローレンツ博士もまた理系の英雄の一人です。

ローレンツ博士の業績の一つは、卵から孵《かえ》ったヒナが初めて目にしたものを親鳥と思い込む「刷り込み」という現象の発見です。この本には、ハイイロガンのヒナがローレンツ博士を親鳥と思い込んだエピソードも描かれています。ヒナは博士の後をついて回り、博士は親鳥の鳴き声を模倣してヒナを安心させました。

『ソロモンの指環』は、動物と人間性への深い理解と愛に満ちた科学エッセイです。

『ソロモンの指環』
コンラート・ローレンツ著、
日高敏隆訳、
早川書房

3章

「知れば知るほど、もっと知りたくなる」

奥深い
理系の知識

化学

「世界が何でできているか」をたった1枚の紙で表わせる?

今日は周期表の美についてお話ししましょう。

この世の物質を作る基本の原料を「元素」といいます。

例えば人体は約70%が水ですが、水は酸素Oと水素Hという元素からできています。タンパク質には炭素Cや窒素Nが含まれます。以上の4元素で人体の95%を占めます。

人体や大地や大気や海を作る天然の元素は100種足らずです。加速器という装置などで合成された人工元素を含めると、2021年現在で118種の元素が発見されています。

この118種の元素を規則正しく美しく並べた表が「周期表」です。

物質は「原子」という微小な粒の集まりです。例えば純粋な水素Hは水素原子が集まってできていて、純粋な酸素Oは酸素原子の集まりです。純粋な炭素Cは炭素原子の集まりで、炭素原子の並び方によって炭やダイヤモンドやカーボン・ナノチューブになります。

「電子」は原子の部品となる粒です。水素原子には電子が1個入っています。酸素原子は8個、炭素原子は6個、窒素原子は7個の電子が含まれます。電子の数によって原子の種類、つまり元素の種類が決まります。

なぜ電子が元素の種類を決めるのでしょう。おおざっぱに説明すると、電子は原子の表面をおおうように配置されていて、原子と原子が反応するときは表面の電子どうしが反応します。原子の化学反応の性質は表面の電子の配置によって決まるので、電子配置の異なる原子は異なる化学的性質を持ち、元素の種類が異なるのです。

原子に含まれる電子の数を「原子番号」といいます。異なる元素は電子の数が異なり、異なる原子番号を持ちます。そのため、**元素は原子番号によって区別され、周期表に原子番号順に並べられます**。

さて原子番号の順に元素を並べていくと、8個ごとに似た性質の元素が現われることに気づきます。原子番号6の炭素Cは14のケイ素Siと似ています。2のヘリウムHe、10のネオンNe、18のアルゴンArはどんな物質ともほとんど反応しないところがそっくりです。つまり元素の性質は周期8で繰り返すのです。

ならば元素の並ぶ行列を8ごとに折り返して次の行に書けば、性質の似た元素が縦に並んで、実にきれいではありませんか。これが周期表の原理です。ロシアの化学者ドミトリ・

イヴァノヴィッチ・メンデレーエフ（1834〜1907）が1868年に発見しました。ただし周期が8なのは原子番号3のリチウムLiから18のアルゴンArまでで、19のカリウムKからは周期が18になります。周期表は下段に行くほど周期が長くなるので、下のほうは長方形からはみ出します。

元素は周期表のどこに位置するかによってその性質がわかります。メンデレーエフの作った周期表にはいくつか空欄がありました。そこには当時未発見の元素が入るのだとメンデレーエフは主張し、その未発見元素の性質を周期表の並びから予言しました。1875年に、本当に予言通り新元素が見つかり、ガリウムと名づけられました。人々は周期表の威力に驚きました。

やがて未発見の元素が次々周期表の空欄を埋めていきました。周期表を手がかりに、原子の内部構造が解明されました。さらに人類は元素を合成して周期表を延長し、ここに示すような壮麗な周期表ができあがりました。現在も周期表は成長しつつあります。

この世のあらゆる物質は周期表に整列する元素から作られます。そして元素の性質は周期表上の位置によって決まります。周期表は世界を構成する基本原料の一覧であり、また元素を支配する法則を表の形に表現したものなのです。

そう思って眺めると、周期表が何だか美しく見えてきませんか。

周期表

H 1 水素																	He 2 ヘリウム
Li 3 リチウム	Be 4 ベリリウム											B 5 ホウ素	C 6 炭素	N 7 窒素	O 8 酸素	F 9 フッ素	Ne 10 ネオン
Na 11 ナトリウム	Mg 12 マグネシウム											Al 13 アルミニウム	Si 14 ケイ素	P 15 リン	S 16 硫黄	Cl 17 塩素	Ar 18 アルゴン
K 19 カリウム	Ca 20 カルシウム	Sc 21 スカンジウム	Ti 22 チタン	V 23 バナジウム	Cr 24 クロム	Mn 25 マンガン	Fe 26 鉄	Co 27 コバルト	Ni 28 ニッケル	Cu 29 銅	Zn 30 亜鉛	Ga 31 ガリウム	Ge 32 ゲルマニウム	As 33 ヒ素	Se 34 セレン	Br 35 臭素	Kr 36 クリプトン
Rb 37 ルビジウム	Sr 38 ストロンチウム	Y 39 イットリウム	Zr 40 ジルコニウム	Nb 41 ニオブ	Mo 42 モリブデン	Tc 43 テクネチウム	Ru 44 ルテニウム	Rh 45 ロジウム	Pd 46 パラジウム	Ag 47 銀	Cd 48 カドミウム	In 49 インジウム	Sn 50 スズ	Sb 51 アンチモン	Te 52 テルル	I 53 ヨウ素	Xe 54 キセノン
Cs 55 セシウム	Ba 56 バリウム	ランタノイド 57～71	Hf 72 ハフニウム	Ta 73 タンタル	W 74 タングステン	Re 75 レニウム	Os 76 オスミウム	Ir 77 イリジウム	Pt 78 白金	Au 79 金	Hg 80 水銀	Tl 81 タリウム	Pb 82 鉛	Bi 83 ビスマス	Po 84 ポロニウム	At 85 アスタチン	Rn 86 ラドン
Fr 87 フランシウム	Ra 88 ラジウム	アクチノイド 89～103	Rf 104 ラザホージウム	Db 105 ドブニウム	Sg 106 シーボーギウム	Bh 107 ボーリウム	Hs 108 ハッシウム	Mt 109 マイトネリウム	Ds 110 ダームスタチウム	Rg 111 レントゲニウム	Cn 112 コペルニシウム	Nh 113 ニホニウム	Fl 114 フレロビウム	Mc 115 モスコビウム	Lv 116 リバモリウム	Ts 117 テネシン	Og 118 オガネソン

La 57 ランタン	Ce 58 セリウム	Pr 59 プラセオジム	Nd 60 ネオジム	Pm 61 プロメチウム	Sm 62 サマリウム	Eu 63 ユウロピウム	Gd 64 ガドリニウム	Tb 65 テルビウム	Dy 66 ジスプロシウム	Ho 67 ホルミウム	Er 68 エルビウム	Tm 69 ツリウム	Yb 70 イッテルビウム	Lu 71 ルテチウム
Ac 89 アクチニウム	Th 90 トリウム	Pa 91 プロトアクチニウム	U 92 ウラン	Np 93 ネプツニウム	Pu 94 プルトニウム	Am 95 アメリシウム	Cm 96 キュリウム	Bk 97 バークリウム	Cf 98 カリホルニウム	Es 99 アインスタイニウム	Fm 100 フェルミウム	Md 101 メンデレビウム	No 102 ノーベリウム	Lr 103 ローレンシウム

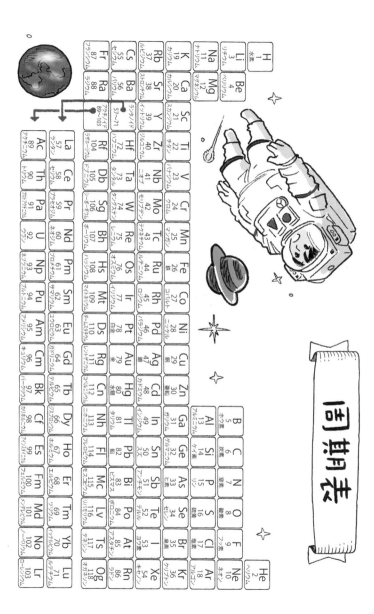

物理

130年ぶりに変わったキログラムの基準、何がどう変わった？

さる2019年5月20日、質量の単位「キログラム」の定義が改定されました。

これまで約130年間、1キログラムとは、フランスはパリの「国際度量衡《どりょうこう》局」にある白金・イリジウム製の「国際キログラム原器の質量」、と定義されていました。世界のあらゆる秤《はかり》はこの原器を基準に調整されていたのです。

しかし2018年、国際度量衡総会は「プランク定数」という自然の物理定数を基礎とするキログラムの新しい定義を採択しました。ついでにアンペア、ケルビン、モルの定義も改定されました。この改定が2019年5月20日をもって適用されたのです。

5月20日までは、1キログラムの質量といえば国際キログラム原器の質量、体重50キログラムといえば国際キログラム原器50個分の質量、私たちの太陽の質量は2×10^{30}キログラムすなわち国際キログラム原器2×10^{30}個分の質量だったのですが、今後はそのような単純な定義ではなくなります。新しい定義はもっと高精度で安定で宇宙的です。

キログラムは「国際単位系（SI）」の「基本単位」の一つで、質量を測るための単位です。SIとは、「物理的な諸測定の世界統一の確保」を目的とする国際機関「国際度量衡局」によって定められた単位の群れです。

基本単位は時間の単位「秒（s）」、長さの「メートル（m）」、質量の「キログラム（kg）」、電流の「アンペア（A）」、熱力学温度の「ケルビン（K）」、物質量の「モル（mol）」、光度の「カンデラ（cd）」の7個と定められています。この7個の単位を掛けたり割ったりすると、メートル／秒、ヘクトパスカル、オーム、ミリシーベルトなど、無限の「組立単位」が作れます。

今回の改定では、キログラムを初めとする4個の基本単位と同時に、「プランク定数」、「電気素量」、「ボルツマン定数」、「アボガドロ数」という4個の自然の物理定数が、定義値とされました。プランク定数とキログラムの新しい定義は、

「1キログラムは、プランク定数hを正確に$h=6.62607015\times10^{-34}$Js（Jsはジュール秒）と定めることによって設定される」

というものです。

プランク定数は、ミクロな物体の物理学である量子力学で活躍する物理定数です。使い道ですが、例えば光の周波数とプランク定数を掛けると、光の粒である光子1個のエネルギーが求められます。量子力学は宇宙を支配する法則であり、プランク定数は重要な基礎物理定数です。

これまでは、測定装置でキログラム原器の質量を測り、もし目盛が1キログラムを指したら、その装置の目盛が正しいことの証明になりました。しかしこの原理だと、目盛の調整にパリのキログラム原器が必要になります。また原器は汚染や磨耗の可能性があります。

これからは、測定装置でプランク定数を測り、上に定義した値が得られたならば、その装置の目盛が正しいことの証明となります。

プランク定数を測るそういう装置には例えば「ワットバランス」というものがあります。バランスとは秤《はかり》のことです。ワットバランスは、少々の変更を加えると、物体の重量を測定する秤として用いることができます。プランク定数の定義を正確に再現するワットバランスで重量を測れば、キログラムの定義の正確な適用です。

新しい定義だと、装置の調整のためにパリの原器と比べる必要がありません。宇宙のどこでも調整できます。またプランク定数は磨耗したりせず、永遠に不変です。この改定で、SIはいわば宇宙的な単位系となったのです。

質量の単位「キログラム」の定義

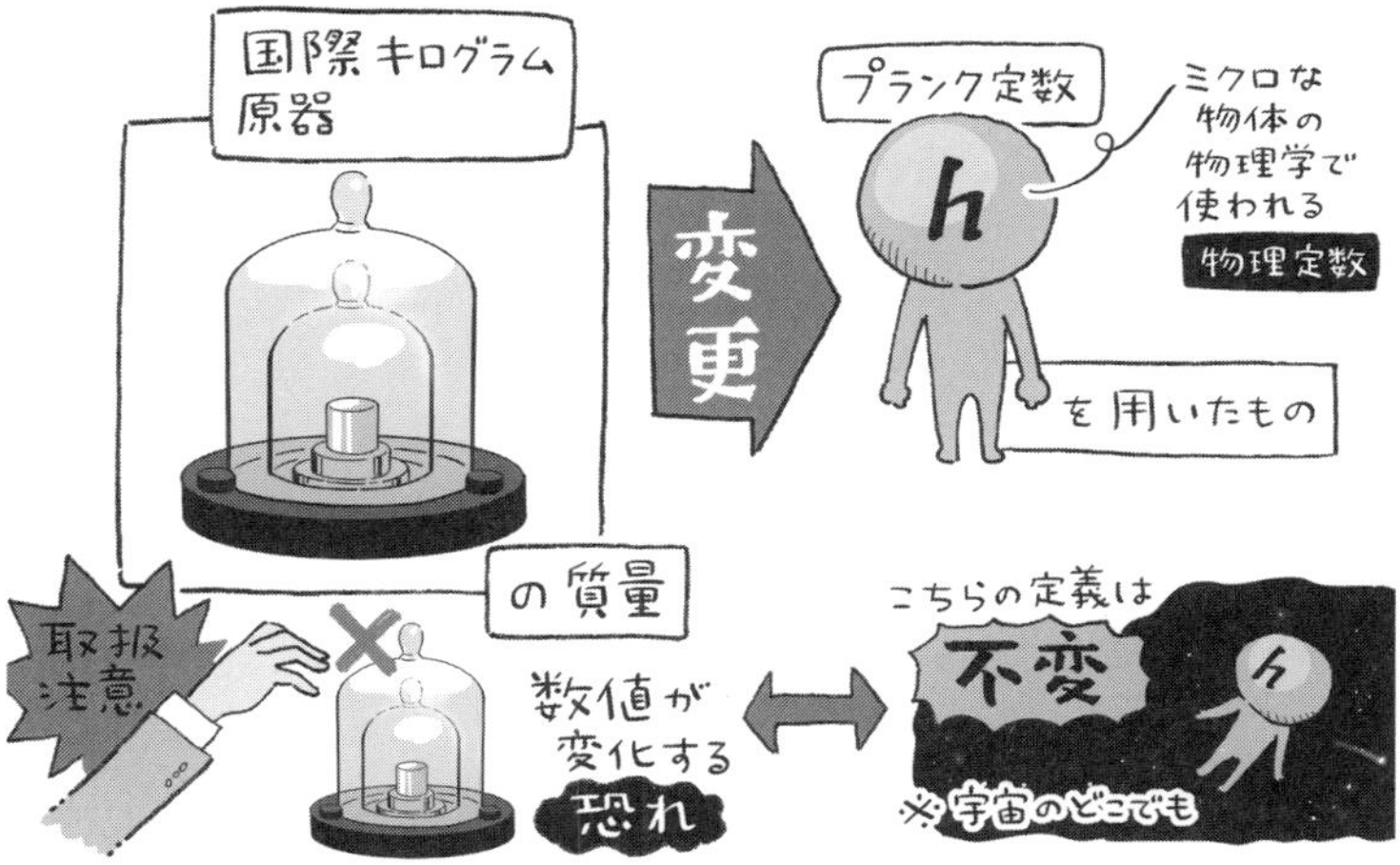

国際キログラム原器
の質量
変更
プランク定数
h
ミクロな物体の物理学で使われる
物理定数
を用いたもの
取扱注意
数値が変化する
恐れ
こちらの定義は
不変
※宇宙のどこでも

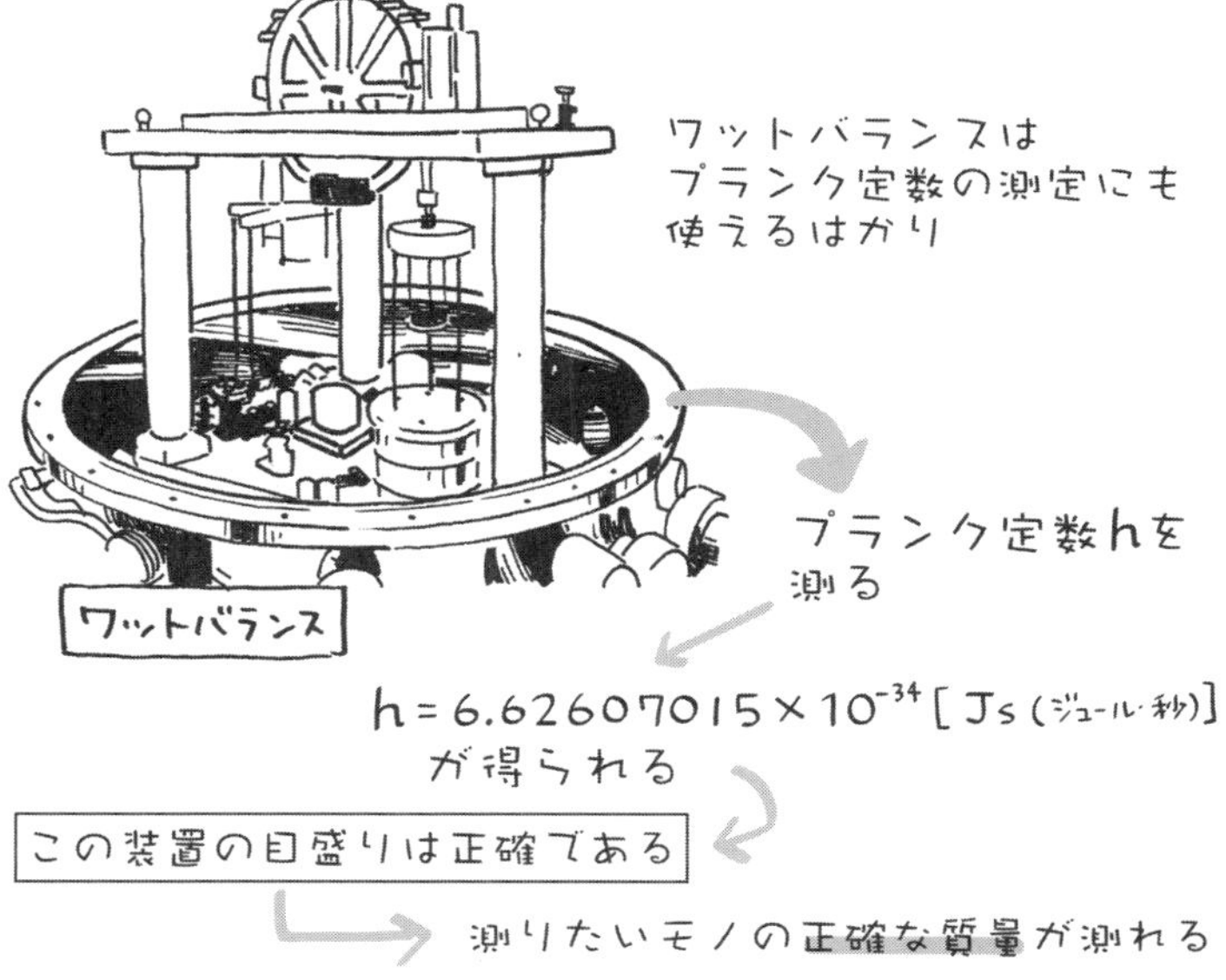

ワットバランスは
プランク定数の測定にも
使えるはかり
ワットバランス
プランク定数hを
測る
h=6.62607015×10^-34 [Js (ジュール・秒)]
が得られる
この装置の目盛りは正確である
測りたいモノの正確な質量が測れる

物理

世界で一番大きい機械は、世界で一番小さいものを見つけてる？

スイスとフランスの国境にある「大型ハドロン衝突型加速器」は、これまで人類が建造した最大のマシンです。この巨大な実験装置は、目にも見えない極微の世界を探るために作られました。

大型ハドロン衝突型（The Large Hadron Collider）加速器、略称ＬＨＣの本体は、全周27キロメートルの長い長いパイプを輪っかにしたものです。大阪環状線は全周21・7キロメートル、山手線は34・5キロメートルなので、両者の間の長さです。このパイプの内部は超高真空・超低温に保たれています。この中に「陽子」という微粒子を注入して、強力な電磁石で磁場をかけて加速します。

陽子は水素原子の原子核で、原子よりもさらに小さな粒子です。1杯の水の中にもみなさんの体内にも無数に含まれています。「ハドロン」とは、陽子や他の原子核などを合わせた粒子グループの呼び名です。

陽子はLHCのパイプの輪をぐるぐる周回するうちに加速され、光の速さの99・99999%にまで達します。27キロメートルのパイプを1秒に1万周以上回る計算です。これほどの速度だと、「相対性理論」の効果によって、陽子の質量は静止時の7000倍になります。

こうして光速近くまで加速された陽子は、正面衝突コースを走らされてぶつかります。ミクロな爆発とでも呼ぶべき衝突事故が起き、陽子はバラバラに砕け、破片の一つひとつが新粒子となって飛び散ります。

そうした新粒子を調べると、陽子の何倍もの（静止）質量を持つものが含まれています。ちょっと不思議な感じがしますが、元の陽子よりも重い粒子を作れるのが、こういう光速に近い衝突実験のミソです。

LHCは1秒に10億回もの衝突を起こし、その無数の破片を調べる能力があります。中に、人類がこれまで見たことのない珍しい粒子が混じっていたら、実験大成功です。

LHCはヨーロッパなどの23の加盟国からなる「欧州原子核研究機構」、通称「セルン（C

ＥＲＮ）」の研究施設です。総額65億スイス・フラン（２０２１年３月現在で約７６００億円）と10年以上かかったＬＨＣの建設には、日本やアメリカなども貢献しました。ＬＨＣは２００８年に実験を開始し、数年かけて性能を上げていきました。

２０１２年、セルンは「ヒッグス粒子」という素粒子が見つかったと発表しました。ヒッグス粒子は静止質量が陽子の１００倍以上もあり、生まれてから10^{-21}秒程度のごく短い時間で別の粒子に変わってしまいます。素粒子の理論から、ヒッグス粒子の存在は予想されていたのですが、実験で検証することができなかったのです。

この発見を受けて、２０１３年ノーベル物理学賞がピーター・ヒッグス・エジンバラ大学名誉教授（１９２９～）とフランソワ・アングレール・ブリュッセル自由大学名誉教授（１９３２～）に授与されました。

ヒッグス粒子を発見して、ＬＨＣは大きな目標を達成しました。しかし宇宙にある「物質」の95％はまだ正体不明で、未知の素粒子からなるといわれています。ＬＨＣや、さらにその次の世代の粒子加速器の活躍に期待しましょう。

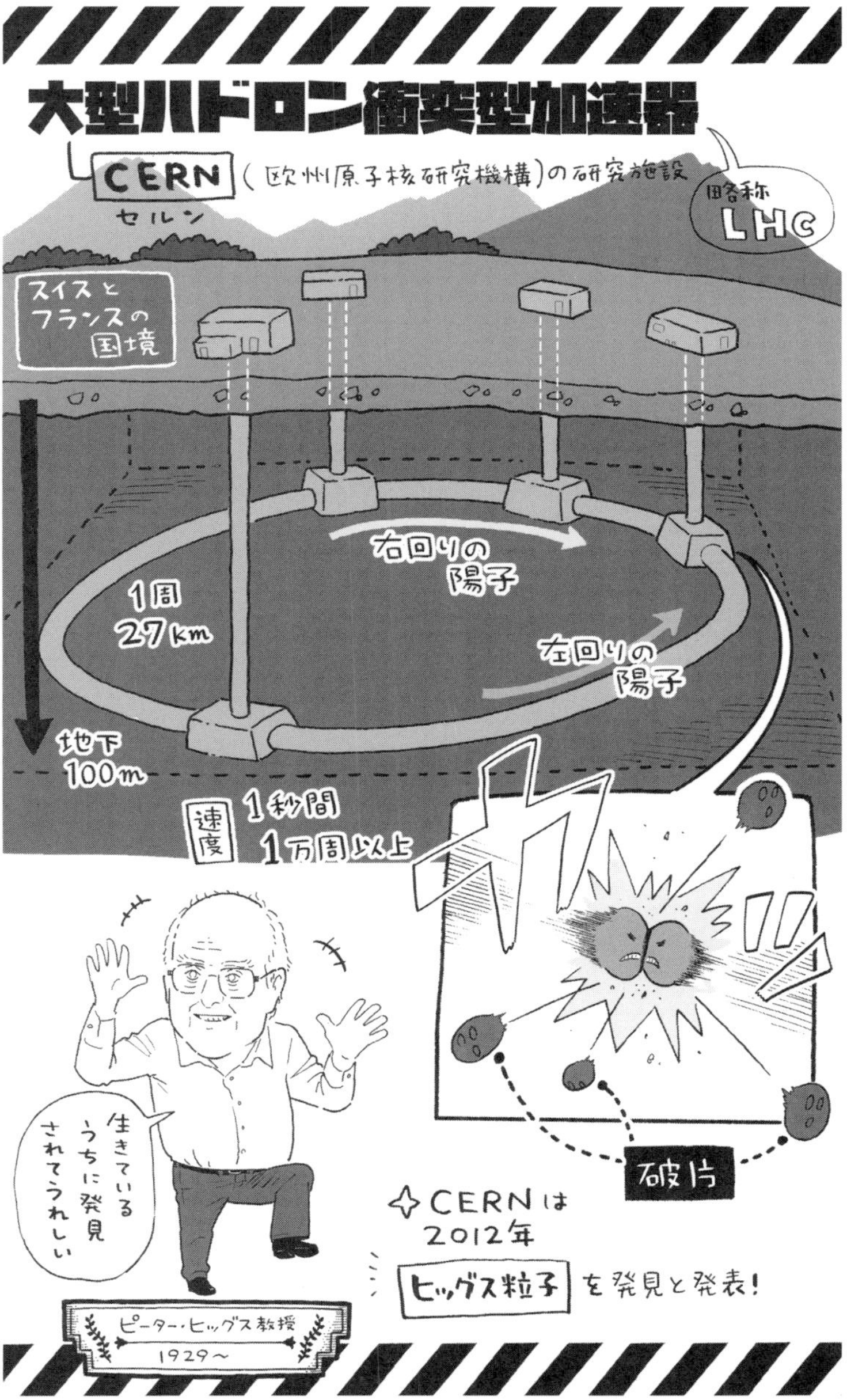
大型ハドロン衝突型加速器
CERN（欧州原子核研究機構）の研究施設
セルン
略称
LHC
スイスとフランスの国境
右回りの陽子
1周
27km
左回りの陽子
地下
100m
速度
1秒間
1万周以上
破片
生きているうちに発見されてうれしい
ピーター・ヒッグス教授
1929〜
CERNは2012年
ヒッグス粒子
を発見と発表!

物理

99・995%光を吸収する世界で一番黒い物の正体

この世で最も真っ黒な物は何だと思いますか？

イカの墨？　黒絵の具？　闇夜のカラス？　宇宙？

見たり触れたりいじったりできる物に話を限ると、2019年にマサチューセッツ工科大学（MIT）で開発された物質は、地上で最も黒いといえます。**可視光のうち99・995%を吸収するので、その物質を「見る」ことはできません。**

普通、私たちが物を「見る」とき、その物からやってきた光が目に入り、「視細胞」という光に反応する細胞が刺激されます。

物からやってくる光は、おおざっぱに分けて二とおりあります。

一つは、炎やLED照明やいなびかりや太陽のように、それ自体が光を放射している場合です。この場合、目に映る色や光は、その物自体の色や光です。

もう一つは、キャンプファイヤーに照らされた友人の顔やLED照明の下の本書や昼の景色のように、光源からの光が物に当たって反射する場合です。(放射と反射以外にも光を発する仕組みはありますが、説明を略します。)


物が、やってきた光の大部分を吸収すると、その物は暗い色に見えます。ほとんど全ての光を吸収すると、黒に見えます。見えない物を見えると表現するのも変な話ですが。

黒い物質は印刷や塗装に使われます。製品を黒く塗装するのは見栄えを良くするためだけではありません。カメラや天体観測装置の内部は光の反射を防ぐために黒く塗られます。吸収された光は熱に変わるので、太陽光で湯を沸かす装置を黒く塗ると効率が上がります。黒い物質には他にもさまざまな用途があります。

こうした理由で、**黒い物質は工業的・商業的価値があり、黒い物質の開発競争が繰り広げられています。**


2019年に開発された、最も黒い物質は、カーボン・ナノチューブを利用しています。カーボン・ナノチューブとは、直径数ナノメートルのチューブ状に炭素原子を結合させた物質で、強い強度と特殊な電磁気的性質を持ちます。1ナノメートルは100万分の1ミリメートルです。カーボン・ナノチューブの応用研究は広く行なわれていて、今回紹介する黒い物質はその一例です。

この物質を作るには、まずアルミニウム板の表面に細かい傷をつけ、スポンジ状にします。次にその表面にカーボン・ナノチューブを成長させてびっしり生やします。ミクロなもやしのようです。

するとこの表面に当たった光は、表面のすきまに入り込み、ふたたび出られなくなってしまいます。出てこられるのは元の光の0・01〜0・001%程度です。真っ黒です。

この物質を見ると、そこの空間にぽっかり穴が開いているような、不思議な感覚になります。

この物質はまだ商品化されていませんが、この10〜100倍程度の反射率を持つ黒い塗料が何種類か販売されています。商品名「ベンタブラック」や「Black 3・0」、「黒色無双」といった塗料です。

ひとつ試してみるのはどうでしょうか。相当黒いですよ。

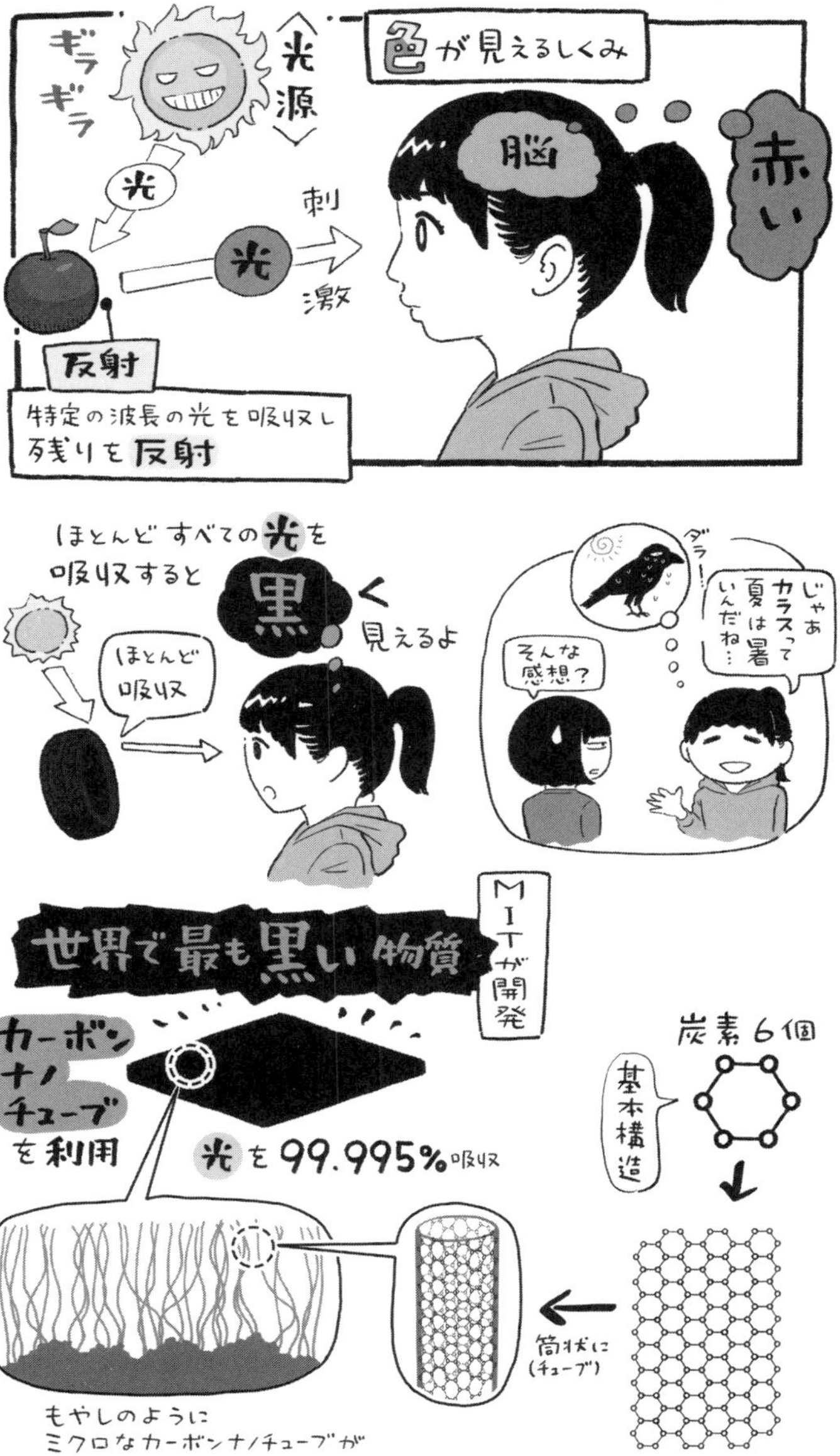
色が見えるしくみ
ギラギラ
〈光源〉
光
脳
赤い
刺激
反射
特定の波長の光を吸収し
残りを反射
ほとんどすべての光を
吸収すると
黒
く見えるよ
ほとんど吸収
ダラー
じゃあカラスって夏は暑いんだね…
そんな感想？
世界で最も黒い物質
MITが開発
カーボンナノチューブを利用
光を99.995%吸収
炭素6個
基本構造
筒状に
(チューブ)
もやしのように
ミクロなカーボンナノチューブが
生えている

宇宙

「アインシュタインが泣いて喜ぶ!?」2015年の世紀の大発見

2015年9月14日9時50分45秒（協定世界時）、人類の観測装置が初めて重力波を捉えました。アメリカにある2台のレーザー干渉計重力波観測施設LIGO《ライゴ》が、宇宙から到来した重力波を検出したのです。波形を詳しく調べたところ、2個のブラック・ホールの衝突・合体による重力波だと判明しました。私たちの太陽の質量の36倍のブラック・ホールと29倍のブラック・ホールが13億年前に合体し、そのすさまじい衝突によって放射された重力波が13億年かかって私たちの銀河系に到達し、ごくわずかにLIGOを揺るがし、検出されたのです。

さて少々専門用語が並んでしまいましたが、この発表はいったいなぜ世界を興奮させる大成果なのでしょうか。解説しましょう。

◎驚きその1 重力波の予言は正しかった

私たちが暮らすこの宇宙空間は、実は微妙に伸びたり縮んだりしわが寄ったりするものだ、という不思議な説をアルベルト・アインシュタイン（1879～1955）という人が100年前に唱えました。その相対性理論という学説によると、しわが寄った空間と時間の中を物体が通過するとき、物体は真っすぐ進めず進路が曲がり、それが重力によって物体が引かれるということなのです。

この奇妙な説が正しければ、時間と空間のしわは、水面のさざ波のように遠くまで伝わることがあると予想されます。「重力波」です。

相対性理論の他の予想は次々と確かめられましたが、重力波は観測実験が難しく、証明できないままでした。

その100年間待ち続けた成果がついに得られました。重力波は実在するのです。アインシュタインの予言は正しかったのです。

◎驚きその2 ブラック・ホールが直接観測できた

ブラック・ホールは強い重力のために光さえも脱出できない真っ黒な天体で、これもまた相対性理論から導かれる常識外れの存在です。あまりに常識外れなので、その実在を疑う研究者も大勢いました。ブラック・ホールでしか説明できない天体現象がこの50年で次々見つかり、次第にその実在が受け入れられるようになりました。

けれどもこれまで得られたその証拠は、ブラック・ホールに吸い込まれる高温ガスといった、周辺の現象が主で、ブラック・ホールを直接観測したものではありませんでした。本体は光も出さないのだからしかたありません。

ところがこの重力波は、ブラック・ホール本体から直接放射されたものです。ブラック・ホールそのものが観測できたといっていいでしょう。重力波とともに、ブラック・ホールもその実在が確かとなりました。

◎驚きその3　まさか本当に重力波が検出できた

重力波はきわめて微弱な波動です。重力波がLIGOを横切ると、全長4キロメートルある検出部の長さが変化するのですが、その変化は原子核の直径の1000分の1程度という、あるんだかないんだかわからないようなわずかなものです。このため重力波の検出は極度に難しく、超々高精度な測定技術が要求されます。今回のLIGOの成果は何年間もかけて装置を改良し続けてきた末の成果です。長いこと期待し続けてきた世界中の人々が狂喜乱舞するのも無理ありません。

ここにおいて重力波を観測する手段が得られ、重力波を発する天体現象を研究する「重力波天文学」が創始されました。人類は宇宙の新しい窓を開いたのです。

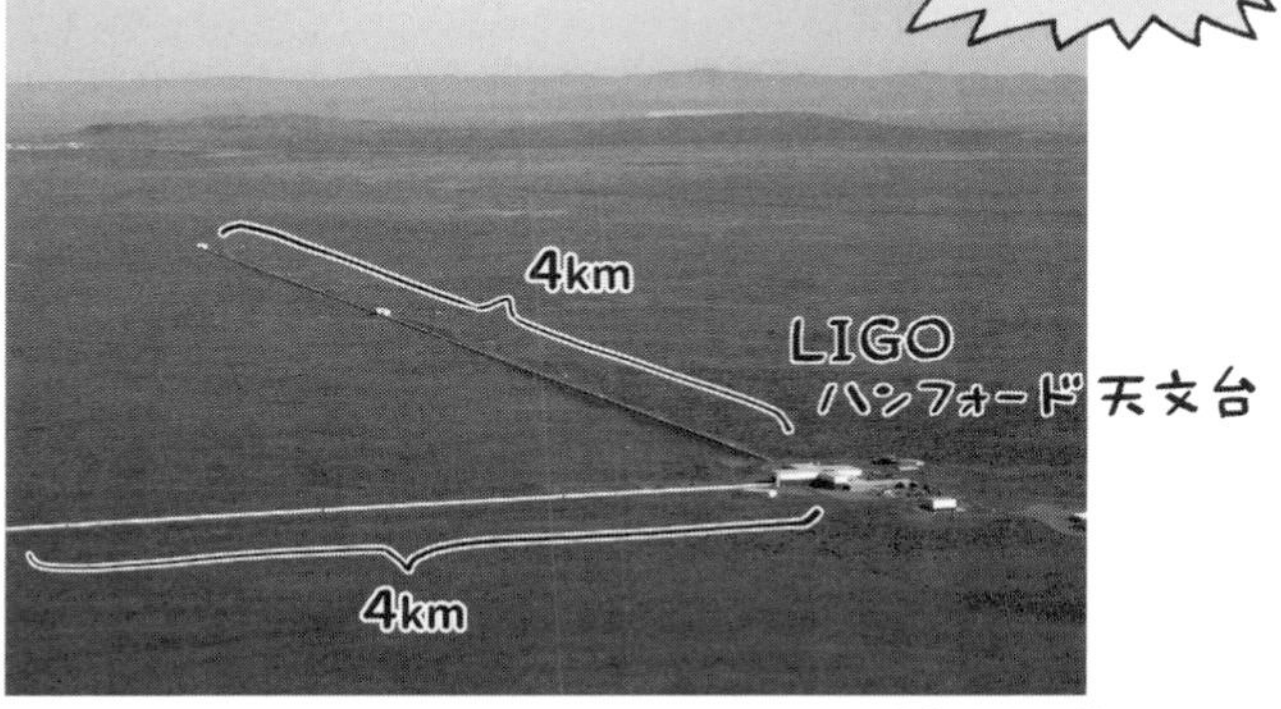

アメリカ・ワシントン州ハンフォードにある重力波観測施設
重力波が来ると長さ4kmのアンテナが原子核の大きさの
1万分の1ほど伸び縮みする
提供: Caltech/MIT/LIGO Lab

宇宙

「見えないブラック・ホールを捉えた！」驚きの地球サイズ望遠鏡

２０１９年４月10日、「イベント・ホライズン・テレスコープ・チーム」による世界10カ国同時記者発表がありました。世界各地のアンテナを結合した「イベント・ホライズン・テレスコープ」によって、Ｍ87という銀河の中心にある超巨大ブラック・ホールの「姿」が撮像されたというのです。

ブラック・ホールは超強力な重力を持つ天体です。物体がブラック・ホールに近づきすぎると、そこを離れるのに光速以上の速度が必要になるので、どんな物体も光も脱出できません。そのため真っ黒な穴ぼこのように見えるとして、「ブラック・ホール（黒い穴）」と呼ばれます。見えるといっても、これまでは実際に見た人はいませんでした。

物体や光があと戻りできなくなる境界面は「イベント・ホライズン（事象の地平線）」という詩的な名前がついています。イベント・ホライズンの近くでは、空間が伸びたり、時間がゆっくりになったり、さまざまな奇妙な現象が起きると考えられています。

現在では大小多数のブラック・ホールが宇宙に見つかっています。その一つは、5500万光年離れたM87という銀河の中心部です。そこでは私たちの太陽の65億倍の質量を持つ超巨大ブラック・ホールが周囲のガスを呑み込んでいると考えられています。太陽の質量といわれても莫大すぎて実感がわかないのに、その65億倍ときては、途方もなさ過ぎて何だかわかりません。


さてブラック・ホールが実在するとなると、次はやはりその写真が見たくなりますよね。イベント・ホライズン・テレスコープ（事象の地平線望遠鏡）は、超巨大ブラック・ホールを観測対象とする超巨大電波望遠鏡です。**ハワイ島マウナケアやチリのアタカマ砂漠など世界6地点8台の電波望遠鏡を組み合わせ、地球サイズの電波望遠鏡を構成します。**このように複数のアンテナを1台の電波望遠鏡として用いる手法を「電波干渉計《かんしょうけい》」といいます。

望遠鏡というものは一般的に、レンズや鏡が大きいほど、対象を細かく観測する能力（角度分解能）が良くなります。イベント・ホライズン・テレスコープの角度分解能は、観測波長1・3ミリメートルの場合、25マイクロ秒角（0・0000000028度）です。「秒角」というのは角度の単位で、100万マイクロ秒角＝1秒角、3600秒角＝1度です。25マイクロ秒角の角度分解能だと、500キロメートル離れたところに置かれた50マイクロメートルの物体が識別できます。視力にすると240万、大阪に置かれた髪の毛の太さが東京から測れます。

イベント・ホライズン・テレスコープが2017年4月に観測した、超巨大ブラック・ホールM87*の電波写真を図に示します。（ブラック・ホール本体をM87銀河全体と区別して表わすときは「*」をつけます。）まるでドーナツのように見えますね。

M87*には周囲のガスが押し寄せ、渦を巻きながら吸い込まれています。超高温に熱せられたガスから発した光線（電波）は、ブラック・ホールの強大な重力によって曲がり、ブラック・ホールを迂回《うかい》して届きます。上下左右から迂回してきた光線を合わせると、このようなドーナツ形に見えるのです。

ドーナツの穴の中心部にはブラック・ホール本体と、それを取り巻くイベント・ホライズンがあります（が、見えません）。回転ブラック・ホールを仮定すると、イベント・ホライズンの半径は約100億キロメートルと計算されます。冥王星軌道がすっぽり入る、途方もなく巨大なブラック・ホールです。

こうして人類はついに超巨大ブラック・ホールの姿を捉えました。長年の夢の実現です。

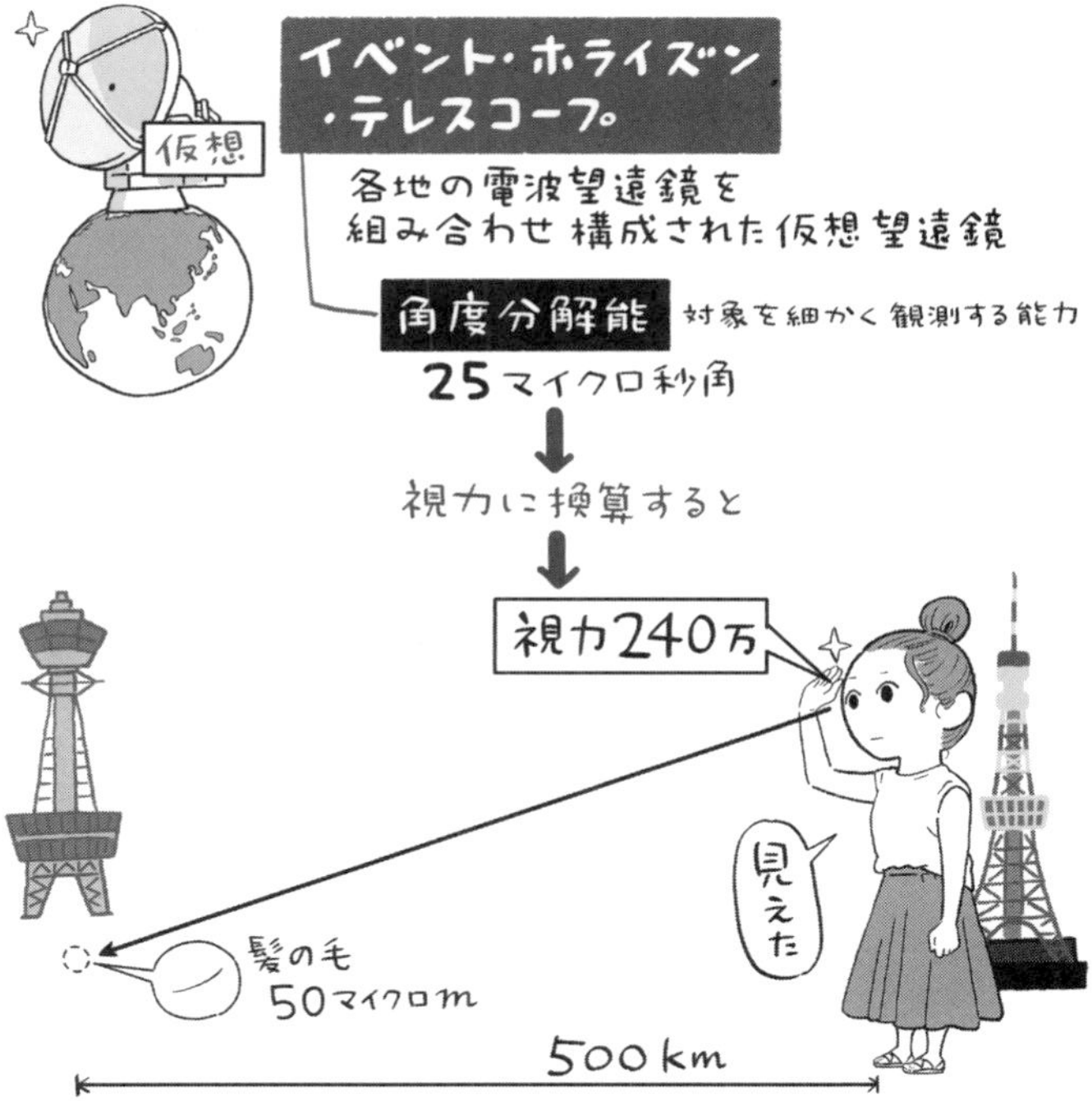

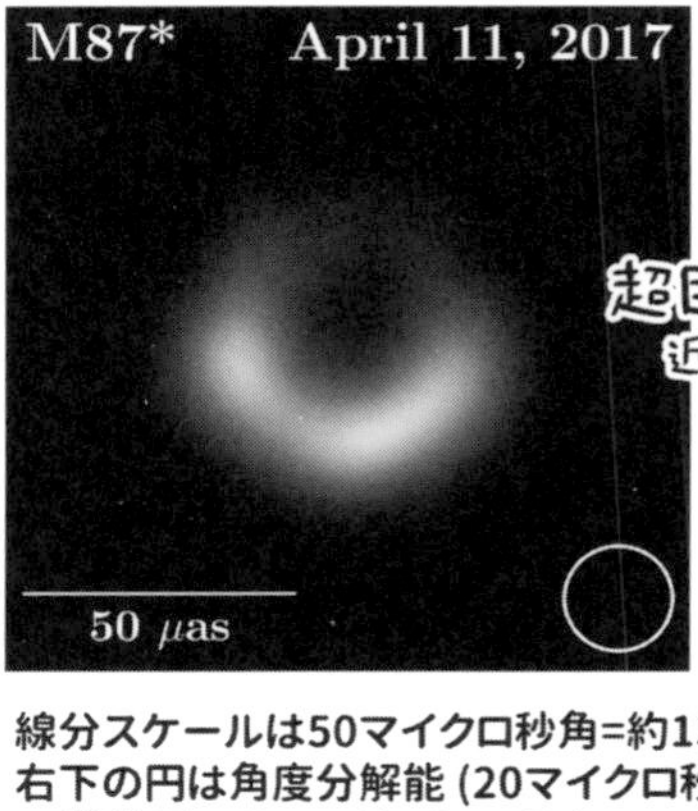

超巨大ブラック・ホールM87*
近傍の電波写真

線分スケールは50マイクロ秒角=約130億km
右下の円は角度分解能 (20マイクロ秒角)を表わす

提供:The Event Horizon Telescope Collaboration (CC BY 3.0)

宇宙

138億年前のビッグ・バン説の有力な証拠とは？

2019年のノーベル物理学賞は宇宙物理学関連の2分野3氏が受賞しました。そのうちの一人はアメリカ・プリンストン大学のジェームズ・ピーブルス名誉教授（1935～）で、「宇宙論における理論物理学上の発見」で受賞しました。

「宇宙論」とは物理学の一分野で、この宇宙がいつどのように始まったか、宇宙全体がどのような構造を持つか、といったことを研究します。

ピーブルス名誉教授の宇宙論への貢献は、「宇宙マイクロ波背景放射」の発見とともに始まります。

1960年代、人工衛星と通信する実験をしていた研究者が、アンテナを天に向けたところ、宇宙から電波が降り注いでいるのに気づきました。「マイクロ波」と呼ばれる種類の電波が、空のあらゆる方向からやってくるのです。まるで星々の背後に、マイクロ波で輝く壁があるかのようです。これが宇宙マイクロ波背景放射の発見です。
ピーブルス名誉教授を初めとする宇宙論の研究者は、すぐにこの発見の重要性に気づきました。これは「ビッグ・バン」の証拠です。

宇宙は138億年前、高温・高密度の状態で始まったと考えられています。どれほどの高温かというと、太陽よりも超新星よりも高温です。地球や銀河系の恒星や遠方の銀河を全て、針の頭よりも小さな体積に押し込めたよりも、もっと高密度です。その状態から、宇宙は急激に膨張して広がり、それとともに冷えました。つまり宇宙は爆発して始まったのです。この宇宙誕生の大爆発を「ビッグ・バン」と呼びます。その後宇宙は138億年間膨張し続けて冷え続け、現在の状態になりました。

当時高温の宇宙空間を満たしていた光は138億年間飛び続け、今になってアンテナに飛び込んできたのです。138億年前には波長の短いガンマ線だった光は、宇宙空間の膨張にともなって波長が伸びて、マイクロ波になりました。宇宙マイクロ波背景放射はビッグ・バンの名残なのです。

1960年代には、宇宙の始まりについてまだよくわかっていませんでした。（現在も大してわかっていないという皮肉な見方もあります。）ビッグ・バン理論は仮説の一つにすぎず、信じられないという研究者も大勢いました。けれども宇宙マイクロ波背景放射は他の理論ではうまく説明できません。これの発見によって、ビッグ・バン理論は受け入れられ、今では宇宙の成り立ちを説明する有力な説とされています。

宇宙マイクロ波背景放射を観測するということは、138億年前に光を放射した高温・高密度の物質を観測するということで、これはつまりビッグ・バンが観測できるといっていいでしょう。宇宙マイクロ波背景放射の性質を調べることによって、当時の宇宙のことが研究できます。

ピーブルス名誉教授らは、宇宙論の理論に基づいて宇宙マイクロ波背景放射の性質を予想し、観測と照らし合わせました。これによってどの理論が正しいか判定でき、宇宙にはどんな物質がどれほどあって、どんな歴史をたどったかということがわかりました。

現在の人類の宇宙についてのイメージは、宇宙マイクロ波背景放射とピーブルス名誉教授らによって形成されているのです。

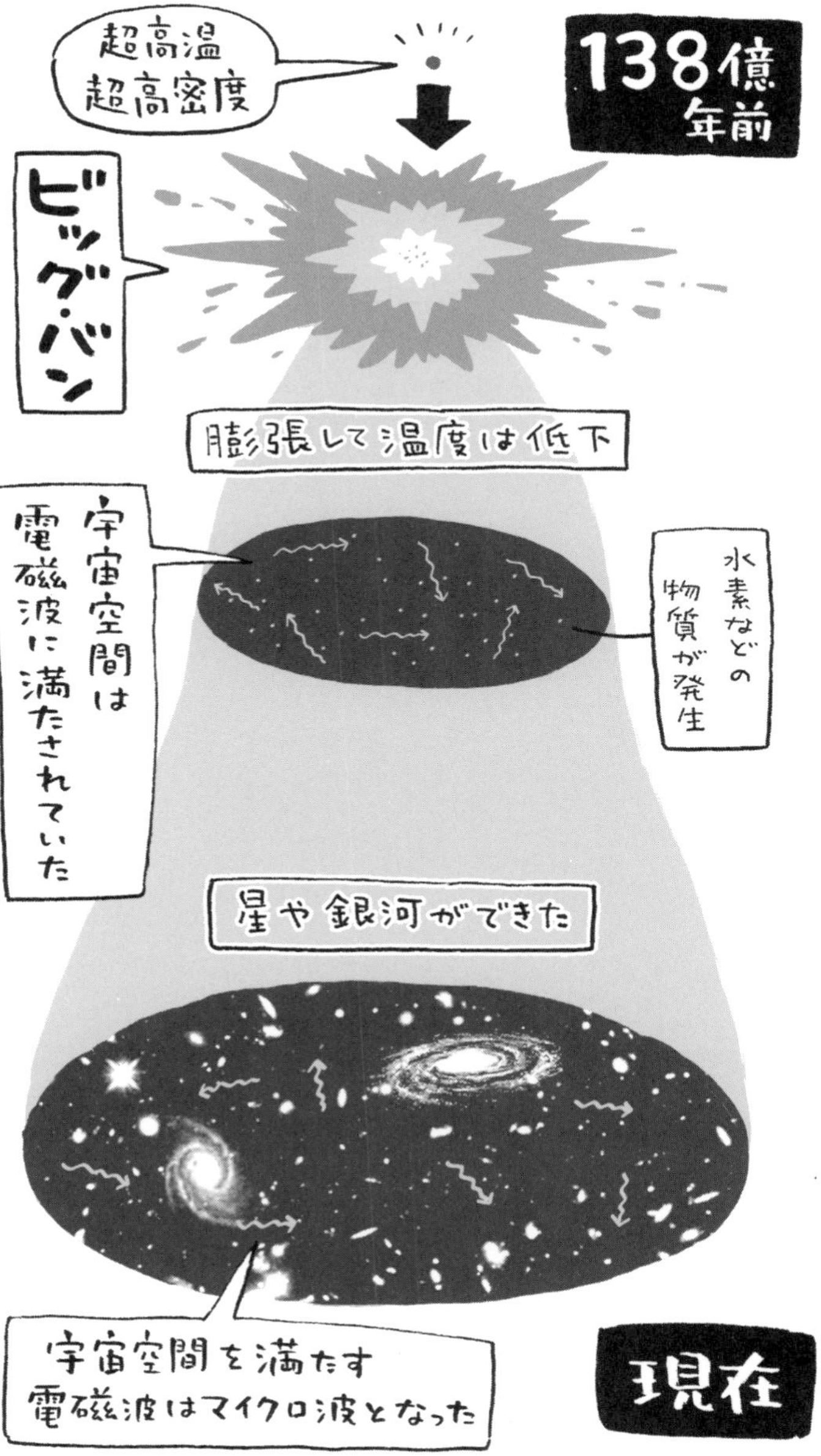

超高温
超高密度
138億年前
ビッグ・バン
膨張して温度は低下
宇宙空間は電磁波に満たされていた
水素などの物質が発生
星や銀河ができた
宇宙空間を満たす
電磁波はマイクロ波となった
現在

宇宙

これまでの常識はもう古い？宇宙の新常識

金、銀、ウランといった地中の重元素は、かつて、「中性子星」という奇妙な天体の一部でした。このことはごく最近、人類の先端技術を結集した世界同時観測によって明らかになりました。数年前の教科書には載っていない、宇宙物理学の最新知識を（やや駆け足で）紹介します。

金、銀、ウラン、水銀など、原子番号が大きくて周期表（82ページ参照）の後ろのほうに並んでいる元素は、原子の中心の「原子核」に、数十個の「陽子」とそれ以上の「中性子」が含まれています。こういう元素は1個の原子が重いので、「重い元素」、「重元素」と呼ばれます。そういう重元素は埋蔵量が少なく貴重です。（一方、原子番号が小さくて周期表の前のほうにある元素は、原子が軽い「軽元素」です。）

地中や大気中の物質は、元は宇宙空間を漂うガスや塵《ちり》でした。約46億年前、ガスや塵が重力で引き合って集まり、太陽や地球や他の惑星が誕生しました。

ガスや塵に含まれるさまざまな元素は、重いものも軽いものも、過去のある時点で、宇宙の何らかの反応によって合成されました。一番軽い水素と二番目のヘリウムは、138億年前、ビッグ・バンと呼ばれる宇宙創成の大爆発の際に合成されました。ただし正確には、ビッグ・バンの際に生じたのは水素の原子核とヘリウムの原子核です。

やがて宇宙空間のガスが集まって、恒星が生まれると、恒星は水素やヘリウムの原子核を「核融合」させて光と熱を放射するとともに、もっと重い元素を合成しました。また恒星のうちあるものは、寿命の最期に「超新星爆発」を起こし、その際にやはり原子核を衝突させて、より重い元素を作りました。こうして炭素や窒素や酸素や鉄など、周期表のだいたい上半分にある、身近な元素が宇宙に供給されました。

さてそういう水素や炭素や窒素や酸素や鉄が地球という惑星を形成し、生命の材料となって、数十億年ほど経つと、ヒトという生物が現われて、望遠鏡や観測装置をこしらえて宇宙の仕組みを探るようになりました。

そして2017年8月17日12時41分04秒(協定世界時)、二つの装置が宇宙の一角からの信号をキャッチしました。一つは重力波検出装置LIGO《ライゴ》、もう一つはフェルミ・ガンマ線天文衛星です。

重力波とは、この空間と時間がわずかにゆがみ、それがさざ波のように遠方に伝わる現象でしたね。LIGOの観測中は1週間に1回ほどの頻度で、宇宙からの重力波を捉えます。そのほとんどは、数十億光年彼方のブラック・ホール同士の衝突によるものです。

しかし今回の天体現象は、ガンマ線というエネルギーの高い電磁波が、重力波とともに放射された点が特殊でした。研究者はぴんときました。これは、中性子星という天体が2個、衝突を起こしたに違いありません。

中性子星は、質量が太陽の約1・4倍ありながら、半径が約10キロメートルしかない、きわめて高密度の異常な物体です。ほぼ中性子からできているため、「巨大な原子核」ともいわれます。それが衝突を起こして、重力波やガンマ線などが爆発的に放射されたのです。**周囲には中性子星の破片が飛び散り、地球に存在しない特殊で短寿命の元素を作り、また周期表の下のほうの重元素も大量に撒《ま》き散らされました。**

この天文学上の事件は世界中の先端観測装置によって詳しく調べられ、大量の論文が発表され、私たちの元素に関する知識が飛躍的に進歩しました。

現在の理解では、地球に存在する金、銀、ウランなどの重元素は、50億年以上前に起きた中性子星の衝突によってばら撒かれた破片だということです。

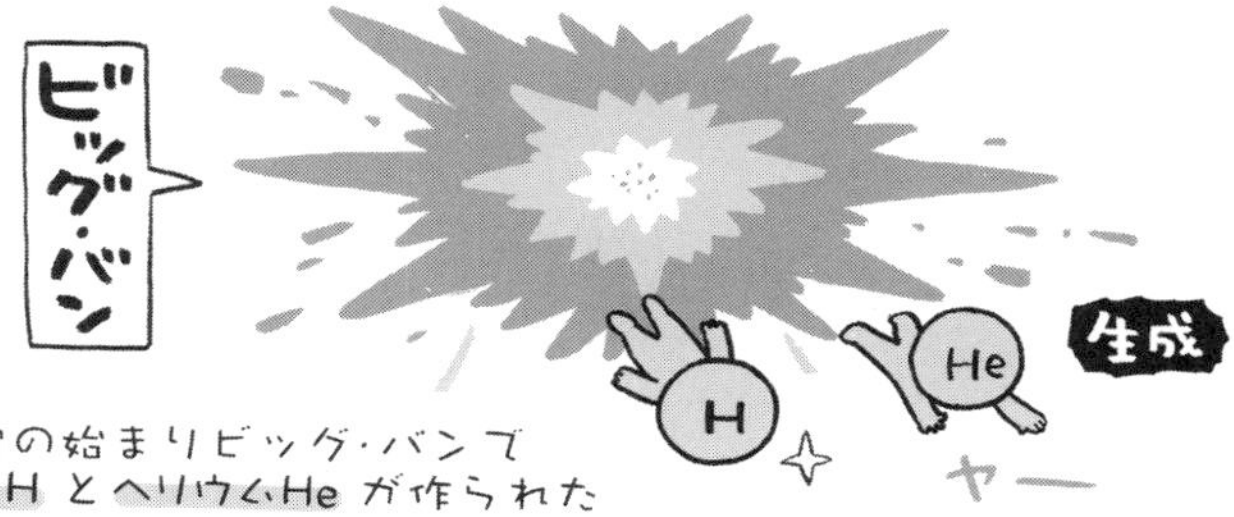

宇宙の始まりビッグ・バンで
水素H とヘリウムHe が作られた

恒星内部の核融合や
超新星爆発で…
炭素C や 酸素O や 鉄Fe など
周期表の上の方の元素が作られた

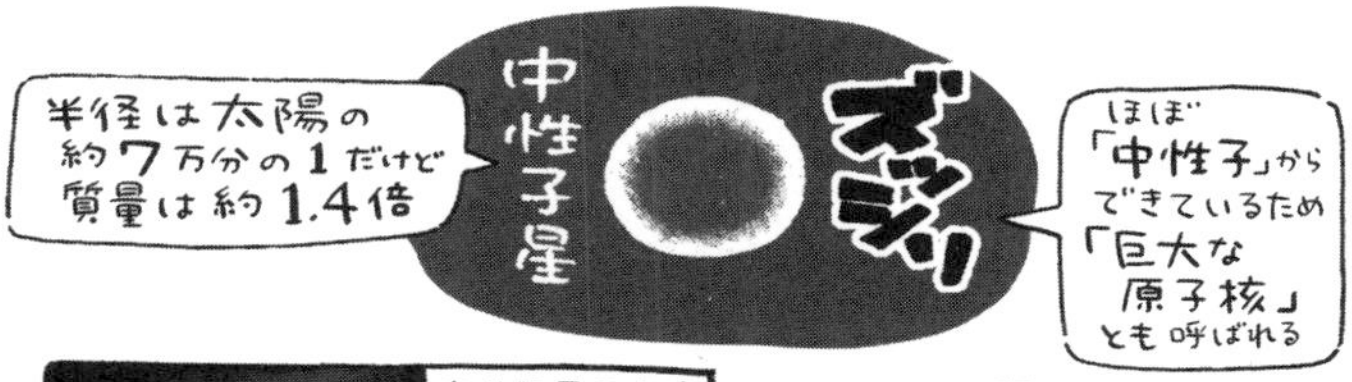

中性子星の衝突で…
銀Ag や 金Au や ウランU など
周期表の下の方の元素が作られた

NEW

03

「理系ワールド」にご招待

究極の「実験する研究者」が見えてくる本

寄生虫を自分の体に寄生させる研究者、自分の発明した気球や潜水挺に乗って高空や深海に挑む冒険家、ビタミンの重要性を証明するため断食する医学者など、とんでもない実験の壮絶な記録です。（真似してはいけません。）

理系のエピソードを集めるのが目的の本ではありませんが、真理の探求が過ぎてそれ以外は目に入らなくなった変人科学者たちは、自分の興味に没頭する理系の人の究極の姿といえるでしょう。

ただし、この本に紹介されている実験の中には、被験者（実験をされる人）の同意を得ていないものや、拒否しにくい立場の人に行なったものも含まれるので、その点に注意がいります。

現在では、人間に対する実験は、被験者の同意と倫理的な審査が必要です。

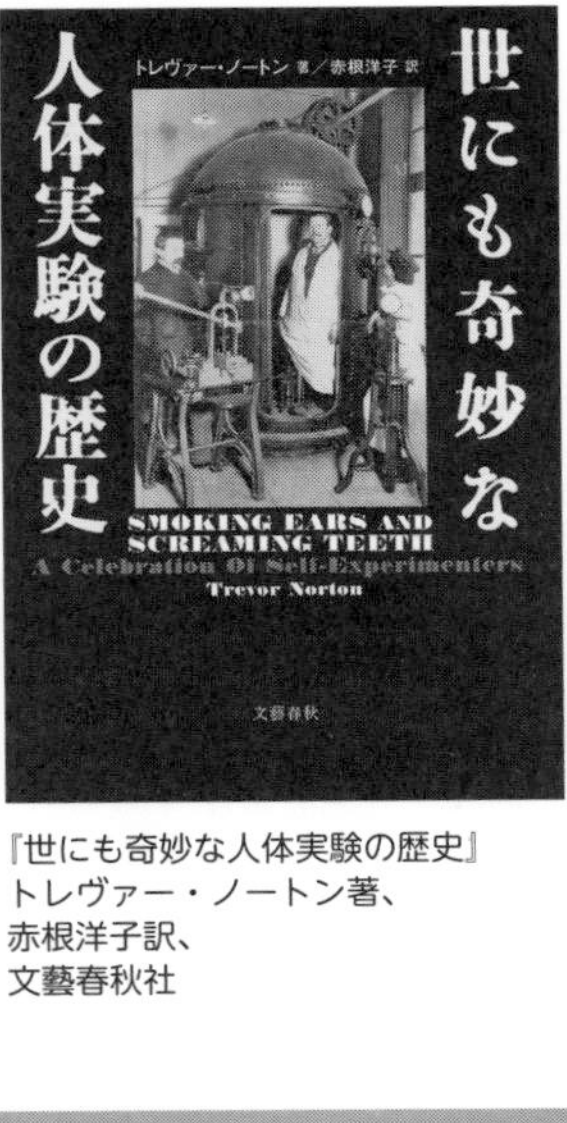

『世にも奇妙な人体実験の歴史』
トレヴァー・ノートン著、
赤根洋子訳、
文藝春秋社

4章

「ビックリ仰天、泣き笑い！」

理系の人々の意外な素顔

科学史

「仕事の合間に物理学」で遺した、アインシュタインの奇跡

4月18日は、理論物理学者アルベルト・アインシュタインの命日。アインシュタインは世界を驚かせる物理学理論をいくつも発表し、人類の宇宙に対する見方を変えました。20世紀最大の科学者などと呼ばれることもある人物の、でたらめなほどの天才ぶり（のほんの一部）を紹介しましょう。

アインシュタインは大学受験に失敗したり、卒業後に研究職につけなかったりといった紆余曲折《うよきょくせつ》を経て、スイスの特許局に就職しました。そして仕事の合間に趣味で物理学の問題に取り組みます。

1905年の1年間にアインシュタインは5篇の論文を発表します。そのうち1篇は「光量子仮説」を提唱するものでした。これは、光が、波であると同時に粒子の性質も備える

という奇妙なアイディアでした。**《光は「光子」という粒々の集まり》**で、**原子・分子と光との反応は、光子1粒と衝突する反応だというのです。**この考えは後に「量子力学」という新しい物理学に発展し、アインシュタインにノーベル物理学賞をもたらします。

また2篇は、**「特殊相対性理論（相対論）」という革新的な物理学を創始するものでした。光の速度は《観測者が運動しながら測っても変わらない》という単純な原理から、さまざまな不思議な結論を導く美しい理論です。**例えば、《運動する時計》はゆっくりになり、《運動する物差し》は縮みます。

物理学に革命を起こすこれらのアイディアが、立て続けにアインシュタインという1個の頭脳から転がり出てきたのです。1905年は科学史上、「奇跡の年」と呼ばれます。

1916年、アインシュタインは「一般相対論」という、史上最高にへんてこで魅力的な物理学理論を発表します。それによると、私たちの暮らすこの「時空」、つまり時間と空間は、伸びたりしわが寄ったりするものだといいます。そのしわが寄った時空を物体が通過する際には、ぐにゃりと軌道が曲がり、それが重力の影響を受けた物体の運動だというのです。**重力とは、時空のしわのことなのです。**

この理論は、水星の軌道や、重力で曲げられる光線や、2015年に発見された重力波

（98ページ参照）を正確に予想しました。強い重力や、光に近い速度の物体の軌道は、ニュートンの「万有引力の法則」では計算できず、一般相対論が必要になるのです。

また一般相対論を用いると、宇宙全体の形や、その時間変化を議論したり計算できます。宇宙を扱う物理学「宇宙論」の誕生です。

相対論は、100年後の現在も、ほとんど修正の必要なく有効です。これほどへんてこな理論をほぼ独力で完成させる天才ぶりには、もう形容する言葉が見つかりません。

アインシュタインの業績はここに書ききれるものではありません。有名人であり、多くの伝記や人物伝が出ていますが、やはり一番おもしろいのは彼の奇妙な物理学理論です。機会があったら入門書を手に取ることをお薦めします。

光量子仮説

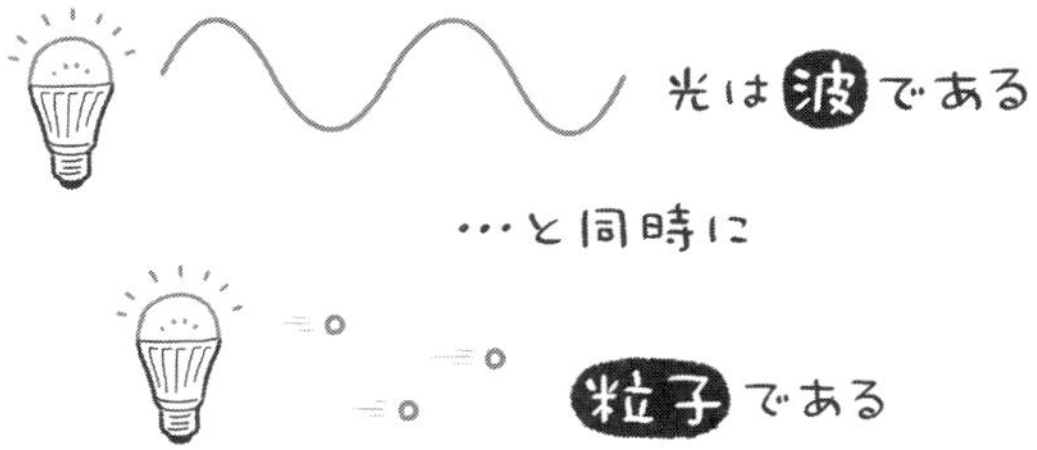

光は波である
…と同時に
粒子である

相対性理論

「運動する時計」は
ゆっくりになり
「運動する物差し」は
縮む
アルベルト・アインシュタイン
1879～1955
ゴー
あっちの物差しは縮み
時計はゆっくり進んでる
ハッ
ハッ
じゃあ私も動いたら
時間ゆっくりに
なってるの!?
うん なってるよ
1000兆分の1秒
程度だけどね
意味ないよ
グル
グル
若さ
保てる!?

科学史

科学と芸術を超越した、ある天才の正体

文化の活動の中で、自然科学と芸術は、全くつながりのない対極の二つのように思えるかもしれません。けれども、科学研究を熱心に行ない、それを創作に生かした偉大な芸術家がいます。あらゆる事柄を理系の観点で紹介する本書ですが、ここでは芸術を取り上げましょう。

ルネサンスを代表する芸術家レオナルド・ダ・ヴィンチ（1452〜1519）は、『モナ・リザ』、『最後の晩餐』など、人類の至宝と呼ぶべき傑作を生み出しました。その創造力と好奇心は芸術だけにとどまらず、建築、機械工学、解剖学、天文学など広い分野におよび、そのため「万能の天才」と評されます。

レオナルドの絵が見る者を圧倒する理由は、たくさんあってここにいいつくせませんが、

その写実性は第一に挙げられるでしょう。彼の絵には、人体の構造、物体の質感と遠近感、光線と影の効果がきわめて精緻《せいち》に描き込まれています。

レオナルドは鋭い目で自然を観察し、死体を実際に解剖して構造を調べ、膨大な手稿（研究ノート）を残しました。彼の写実的な描写はその研究成果です。

レオナルドの手稿は、細かい鏡文字で書かれた大変読みにくい代物なのですが、丹念に読み解くと、天才の驚くべき思考が浮かび上がります。その一例を、天文学に関する記述から挙げてみます。

新月や三日月を観察すると、太陽に照らされた部分が細く明るく光っています。さらによく見ると、影になっている部分も真っ暗ではなく、ぼんやり光を放っています。

レオナルドはこの現象を考察し、地球に反射した太陽光が、月の影の部分を照らしているのだと（正しく）結論して、手稿に記しました。

現在では、月面のうすぼんやりした光は「地球照」または「地球光」と呼ばれます。レオナルドの考察と同じ理由によります。

レオナルドの時代には、地球が宇宙の中心にあって、月や太陽は地球を周回するもの（地動説）と考えられていました。驚いたことに、この天才の思考はそんな時代の制約を超越し、正しい結論に至ったのです。

ところが、レオナルドはその優れた考察をどこにも発表することなく、暗号めいた手稿の中に埋没させてしまいます。彼の発見は誰にも知られることなく時が流れ、約100年経ってガリレオ・ガリレイ（1564～1642）によって再発見されます。

ガリレオはレオナルドと違って、発見したことをどんどん発表したので、ガリレオの成果の数々は世に知れ渡りました。

レオナルドの時代と違い、今では科学の議論は全て公開の下に進められます。たった独りで真理を手稿に記しても、それは科学の成果となりません。考察は論文として発表されないと、それが真理かどうか、観察や実験結果と合うかどうか、検証されません。

レオナルドは、近代科学の見方では、科学者とは呼べないでしょう。また、彼の手稿には、簡単な実験をすればわかるような誤りがいくつも見られます。どうも実験に弱かったようです。

しかしレオナルドの科学者としての資質よりも重要なのは、彼の芸術家としての才能です。400年前の天才の最高の研究成果である作品が今も見られることを喜び、感動しようではありませんか。

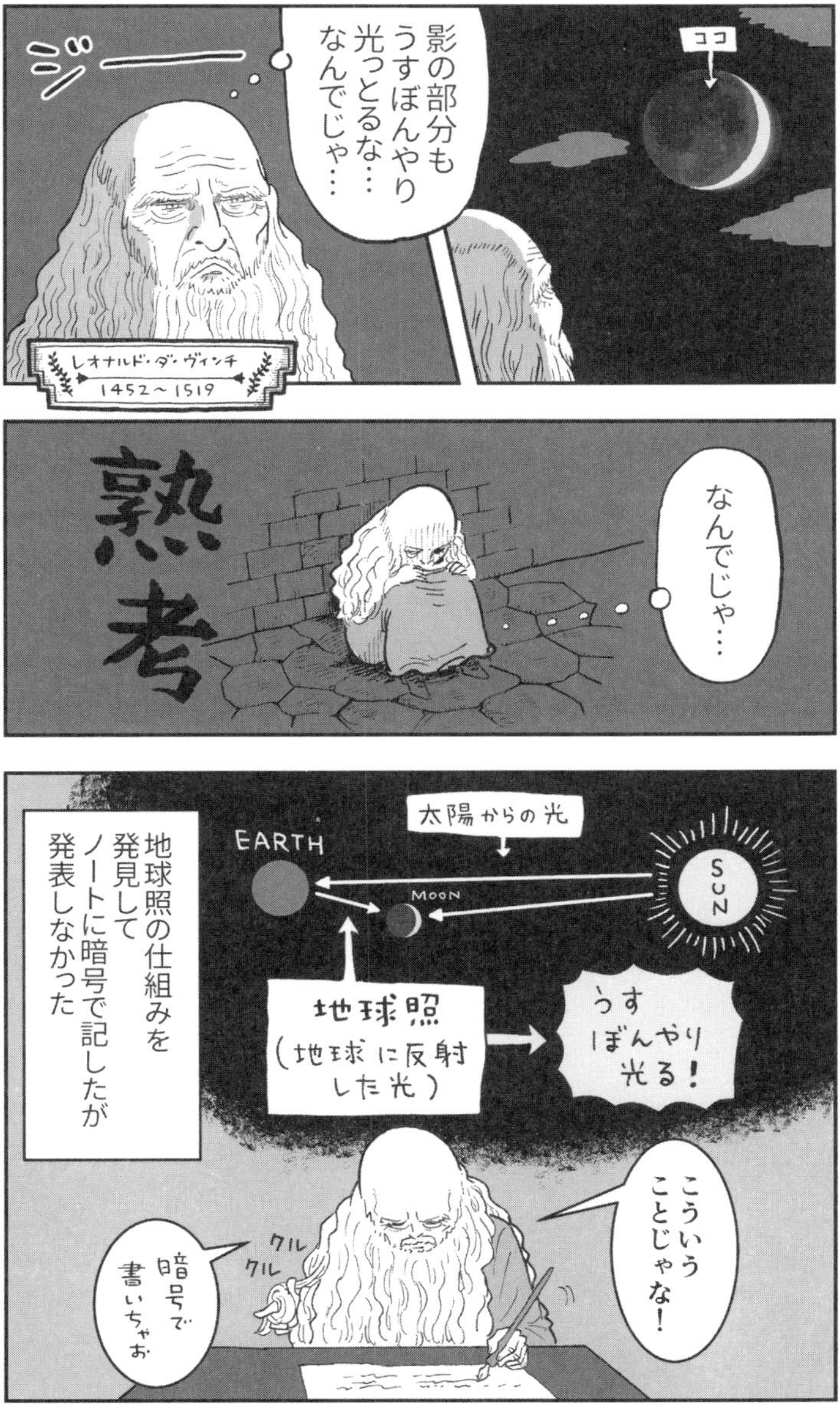
ココ
影の部分もうすぼんやり光っとるな…なんでじゃ…
ジーーー
レオナルド・ダ・ヴィンチ
1452〜1519
なんでじゃ…
熟考
地球照の仕組みを発見してノートに暗号で記したが発表しなかった
太陽からの光
SUN
EARTH
MOON
地球照（地球に反射した光）
うすぼんやり光る！
こういうことじゃな！
クルクル
暗号で書いちゃお

科学史

偉大な科学者ニュートンは、ダメダメな半生だった？

アイザック・ニュートン（1643〜1727）はイギリスの農家に生まれました。父はニュートンが生まれる3カ月前に死去し、ニュートンは会うことのなかった父の姓と名をもらいました。

3歳のとき、母は再婚しましたが、ニュートンは母と新しい父と一緒には暮らさず、母方の祖母のもとで養育されました。

12歳のとき、再婚相手が死去し、母はニュートンの3人の弟妹と一緒に実家に戻ってきました。

13歳からは寄宿学校に入りました。このころの成績はあまりパッとしなかったようです。

ニュートンを農夫にしたかった母は学校を途中でやめさせました。しかし間もなく、ニュートンが家業に恐ろしいほど向いていないことが明らかになります。飼っている豚がとなりの農地を荒らすのを放置したため、訴えられた記録が残っています。ニュートンは学校に戻されました。

学問に理解のある叔父の勧めで、ニュートンはケンブリッジ大学に進学しました。こうしてニュートンは「世界最低の農夫」から「史上最高の科学者」へ進路を変更します。隣家も豚もホッとしたことでしょう。

ところで大学でのニュートンの身分は「免費生」でした。これは、学費の一部を免除されるかわりに裕福な学生の身の回りを世話するという、現代では考えられない制度です。これは当時には、余裕のない家庭の子弟にも高等教育を可能にする意義があったのかもしれません。（ただし女子は資産があっても不可でした。）

ニュートンは力学、光学、数学など広い分野にわたって多大な貢献を成し遂げ、「史上最高の科学者」と、しばしば讃《たた》えられます。

ニュートンは月や惑星やリンゴの運動を研究し、慣性の法則、運動方程式、作用・反作用の法則からなる「運動の三法則」と「万有引力の法則」という単純な規則で、その軌道を計算できることを見い出しました。計算を実行するための数学が存在していないことに気づいたこの天才は「微積分」という数学を作ってしまいます。物理学は、「高度な数学を用いる難解な学問」と感じる人も多いですが、物理学を難解にした犯人はニュートンです。

運動の三法則と万有引力の法則は『自然哲学の数学的諸原理（プリンキピア）』という本にまとめられ、これは人類史に残る名著とされます。これによって確立した「ニュートン力学」は、全ての科学技術の基礎として、文明社会を成り立たせています。

ニュートンの名はヨーロッパにとどろきましたが、その成果はニュートンでなく他の人が最初に発見したと批判する人もいました。例えば微積分は、別の数学者が独立に発見していたことがわかっています。

ニュートンは批判にうまく対処できず、第三者を装《よそお》って匿名《とくめい》で反論するなどアンフェア（不公正）な態度で自分の評判を守ろうとし、批判者を攻撃しました。有名となり社会的にも成功したものの、友人といえる付き合いは少なく、生涯独身でした。

ニュートンに限らず、偉大な科学者の生い立ちを知ると、子供時代から成績優秀な人格者ばかりではないことがわかります。大変励みになるのですが、優秀でない少年少女が全員ニュートンになるわけでもないので、実践には注意が必要です。

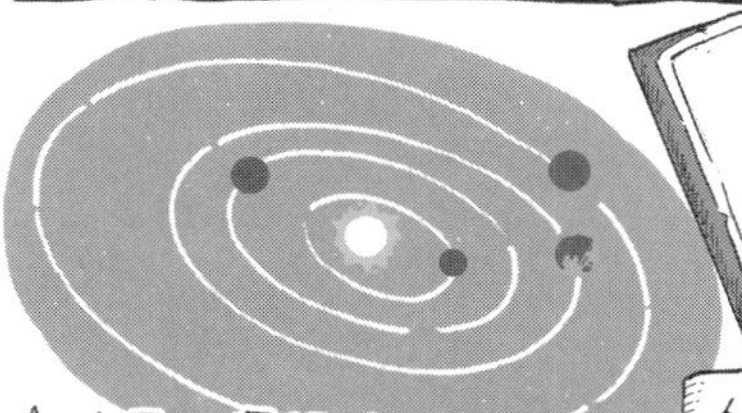

惑星の運行はニュートン力学で計算できる

人類史に残る名著
『自然哲学の数学的諸原理（プリンキピア）』

科学史

ややこしい「電流は＋《プラス》から－《マイナス》に流れる」と決めたのは誰？

豆電球あるいはLEDを導線で電池とつなぐと、小さな灯がともります。このとき、**導線を電流が、電池のプラス極からマイナス極へ流れます**。そのように学校では教わります。

けれども学習が進むと、電流の正体は、電子という極微の粒子の移動だと習います。そして**電子はマイナスの電荷《でんか》（電気量）を持ち、マイナス極からプラス極へ導線内を移動する**というのです。電流の向きと逆です。

何とも混乱させられる説明です。ここで電気が苦手になった人もいるのではないでしょうか。どうしてこのような奇妙な状況が生じたのでしょうか。

実はこの混乱には、引き起こした「犯人」が存在します。アメリカの政治家・科学者ベンジャミン・フランクリン（1706～1790）です。

フランクリンは電気について熱心に研究しました。雷の正体が電気火花であることを、凧《たこ》を用いる（危険な）実験で確かめました。また避雷針《ひらいしん》を発明し、落雷の被害を激減させました。

避雷針は多くの人命を救い火災を防いでいる偉大な発明です。もし避雷針がなければ、高い建物には危くて近寄れません。しかし未然に防がれた災害は、それと知ることができないので、読者の中には、避雷針のおかげで助かっているのに、気づいていない方がいるかもしれません。

当時の電気の研究は静電気が主な対象でした。

例えばコハク（樹脂の化石）で猫の毛皮をこすると、静電気が発生し、毛皮は逆立ちます。電気火花が発生してぱちぱち音を立てます。

フランクリンは（おそらくさんざん猫をこすってうんざりさせた末）、電気の正体はある種の流体だと推察しました。コハクで毛皮をこするとき、電気という流体が一方からもう一方へ移るというのです。電気を受け取ったほうは、電気が過剰な「プラス」の状態になり、失ったほうは「マイナス」の状態になります。プラスとプラス同士、マイナスとマイナス同士は反撥《はんぱつ》します。しかしプラスとマイナスは引き合い、毛皮を逆立てたり電気火花を飛ばしたりします。

と、そこまではよかったのですが、ここでフランクリンは重大な判断ミスをします。**コハクで猫の毛皮をこすると、コハクから毛皮に電気が移り、毛皮がプラス、コハクがマイナスの電気を帯びると定義したのです**。


それから約150年後の1897年、電子が発見され、電子の移動が電気現象（の多く）を引き起こしていることがわかりました。

そしてコハクで猫の毛皮をこするときには、ああニャンということでしょう、**実際には電子が毛皮からコハクに移るのです**。フランクリンは逆に定義すべきだったのです。

しかしそのときにはもうプラス・マイナスの定義はすっかり定着していて、世界中のあらゆる教科書を書き換えることは無理でした。矛盾を避けるため、電子の電荷はマイナスと定められました。

こうして、電流はプラスからマイナスへ流れる一方、電子はマイナスからプラスへ移動して、多くの学童を混乱させることになったのです。

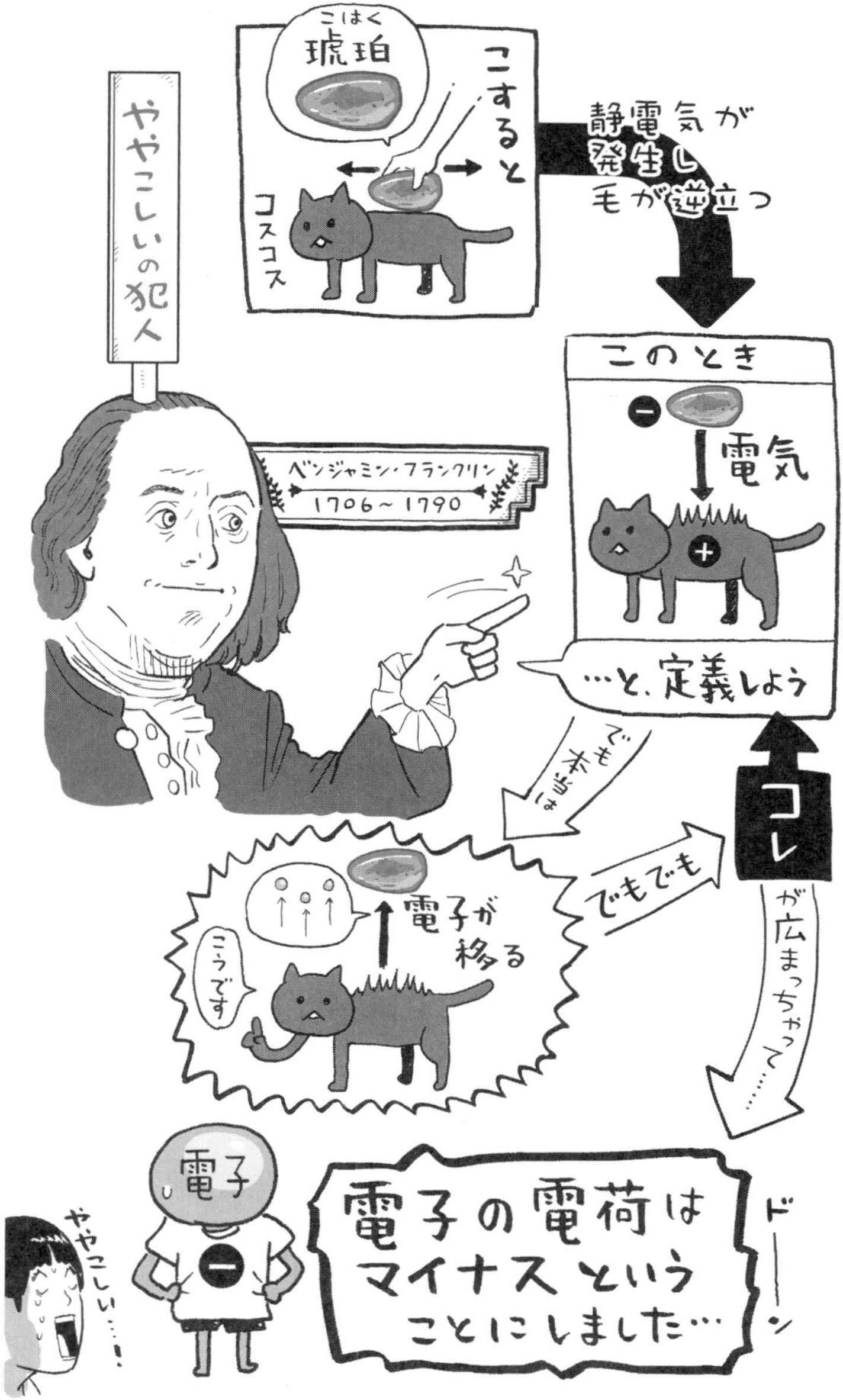
ややこしいの犯人
琥珀《こはく》
こすると
コスコス
静電気が発生し毛が逆立つ
ベンジャミン・フランクリン
1706～1790
このとき
電気
…と、定義しよう
でも本当は
電子が移る
こうです
でもでも
コレ
が広まっちゃって……
電子
電子の電荷はマイナスということにしました…
ドーン
ややこしい…！

科学史

ナチスをも破ったパソコンの父、チューリングの知られざる最期

2019年7月15日、イングランド銀行は50ポンド紙幣（約7000円）の新デザインを公表しました。コンピュータ科学を創始し、ナチス・ドイツの暗号を解読した数学者アラン・チューリング（1912～1954）の肖像をあしらった新紙幣は、2021年中に流通の予定です。

しかし英国政府はかつて、この英雄を残酷に処罰し、不幸な死に追いやったのです。

まだコンピュータというものがこの世に1台も存在しない1936年、チューリングは、ある奇妙な機械のアイディアを発表しました。今では「チューリング・マシン」として知られるその想像上の機械は、紙テープあるいは磁気テープのような、情報の記録された長いテープを読み込み、命令にしたがって、テープを送ったり巻き戻したり情報を書き込んだりといった、単純な作業を繰り返し行ないます。チューリング・マシンは不器用で単純

なコンピュータですが、現在のコンピュータのできることは原理的に全て実行できます。**チューリング・マシンに不可能な計算は、どんな高性能コンピュータにも計算できません。**

例えば、チューリング・マシンに与えられる命令（プログラム）が誤りを含むかどうかを判定するチューリング・マシンは作れるでしょうか。言い換えると、コンピュータのプログラムに誤り（バグ）があるかどうか判定するプログラムは作れるでしょうか。

チューリングはこれが不可能であることを証明しました。コンピュータには、コンピュータ・プログラムが誤りを含むかどうか判断することはできないのです。

もしもプログラムの作成をコンピュータにやらせることができれば、人間は楽ができるでしょう。しかしコンピュータには、できたプログラムに誤りがないかどうか判断できないので、プログラム作成をコンピュータにやらせることは不可能ということになります。当面の間、プログラム作成は人間の仕事でしょう。

チューリングはコンピュータが存在しない時代に、「コンピュータ科学」、つまりコンピュータの原理や可能性を研究する学問分野を創始したのです。

第二次世界大戦中、チューリングは英国のために働きました。

対するナチス・ドイツは「エニグマ（謎）」という暗号機を用いて軍事通信を暗号化し

ていました。暗号機というのは、モーターや歯車を組み合わせた機械で、キーボードに文章を打ち込むと、暗号文となって表示されます。逆に暗号文を打ち込むと、元の文書が現われます。エニグマは高性能で、その暗号はどの国も解読できませんでした。

チューリングの属する暗号解読部隊はエニグマ暗号に取り組み、その解読技術を開発します。これにより、ナチス・ドイツの軍事行動は英国に筒抜けになったといわれます。

英国の勝利と戦争の終結に貢献したチューリングですが、英国社会は彼に正当に報いませんでした。

1952年、チューリングは男性との性行為で逮捕されます。当時の英国では、同性愛は犯罪とみなされていたのです。チューリングは有罪となり、刑務所を免れる代わりに女性ホルモンを1年間にわたって投与されます。この非人道的な処置は、性犯罪者を「治療」すると信じられていました。チューリングの肉体は女性ホルモンによって変調をきたしました。1954年、チューリングは毒を口にして自殺しているのが見つかりました。

現在の英国には、同性愛を違法とする法律はなく、女性ホルモンによる「治療」も行なわれていません。2009年、英国政府はチューリングに公式に謝罪し、2013年には有罪が取り消されました。チューリングの肖像をあしらった新紙幣は、祖国に貢献した数学者を讃えるとともに、英国社会の反省を表わしているのです。

※イングランド銀行 50ポンド紙幣 新デザイン

科学史

『ロウソクの科学』著者ファラデーから脈々と受け継がれているものとは？

2019年ノーベル化学賞は、米テキサス大学オースティン校のジョン・グッドイナフ教授、米ニューヨーク州立大学ビンガムトン校のM・スタンリー・ウィッティンガム教授、そして日本の吉野《よしの》彰《あきら》・旭《あさひ》化成《かせい》名誉フェローがリチウム・イオン電池の開発の功績で受賞しました。まだ記憶に新しいところです。

吉野さんは、科学の道に進むきっかけとなった本として、マイケル・ファラデーの『ロウソクの科学』を挙げています。これは大勢の少年少女に科学の楽しさを教えた有名な本です。著者のファラデーとはいったいどんな人でしょう。

マイケル・ファラデー（1791〜1867）は英国の科学者で、数えきれないほど多くの業績を上げました。科学知識の普及にも熱心に取り組み、『ロウソクの科学』を初めとする科学解説書を執筆したほか、一般市民を集めて科学講演や公開実験を行ないました。

当時の英国は科学講演が盛んで、市民は劇や音楽を聞きに行くように科学講演を聞きに行ったそうです。

ファラデーは鍛冶職人の家に10人兄弟の1人として生まれました。裕福でないファラデー家は、子供たちに高等教育を受けさせる余裕はありませんでした。しかしファラデーは独学で科学を学びました。化学者ハンフリー・デービー（1778〜1829）の科学講演を聞き、デービーに手紙を書きました。デービーはこの若者の才能を認め、助手に採用しました。しかし後にはファラデーの圧倒的な能力に嫉妬《しっと》し、ファラデーが王立協会員になるのを邪魔したといわれます。（王立協会は1645年に創立された英国の科学的指導機関で、その会員に選ばれることは科学者にとって最高の名誉とみなされていました。）

人間のできたファラデーは、師のこうした仕打ちに仕返したりしませんでした。ファラデーの優れた人格を伝えるエピソードはいくつも伝わっていて、彼が周囲に好かれていたことが伺われます。例えばクリミア戦争の際、英国政府はファラデーに、毒ガスの大量生産は可能か、可能なら生産を推進するかと尋ねました。ファラデーは、可能だが絶対にやらないと答えたそうです。

ファラデーの業績は多岐にわたるのですが、そのうち、現代文明の基礎となっている電磁誘導の法則と発電の原理について説明しましょう。

図のように、導線をくるくる巻いたものをコイルといいます。①コイルに磁石を近づけたり遠ざけたり動かすと、②コイルに電圧が発生し、電流が生じ、つながれた電球が光ったりヒーターが温まったりモーターが回ったりコンピュータが計算したりします。磁石を止めてコイルのほうを動かしても電流が得られます。

これがファラデーの発見した「電磁誘導」です。アメリカのジョセフ・ヘンリー（1797〜1878）もこの現象を独立に発見していましたが、発表はファラデーが早かったようです。

電磁誘導の法則はさまざまな使い道があるのですが、最も重要な応用が発電機です。コイルを風車に取りつけて、風車が回るとコイルが磁石と近づいたり離れたりするような仕組みを作ると、発電ができるのです。風車をそのまま風の力で回せば風力発電、川で水車を回せば水力発電、石油を燃やして湯を沸かして蒸気で回せば火力発電、石油の代わりに原子核反応を用いれば原子力発電です。

電気は現代文明の基礎です。もしも発電所の風車が止まれば、文明が停止します。現代文明はファラデーの発明によって支えられているのです。

そしてファラデーの発明した発電機の生み出す電気エネルギーは、ファラデーの本を読んで育った吉野さんの作った電池に貯えられ、人々のスマホを駆動しているわけです。

電磁誘導

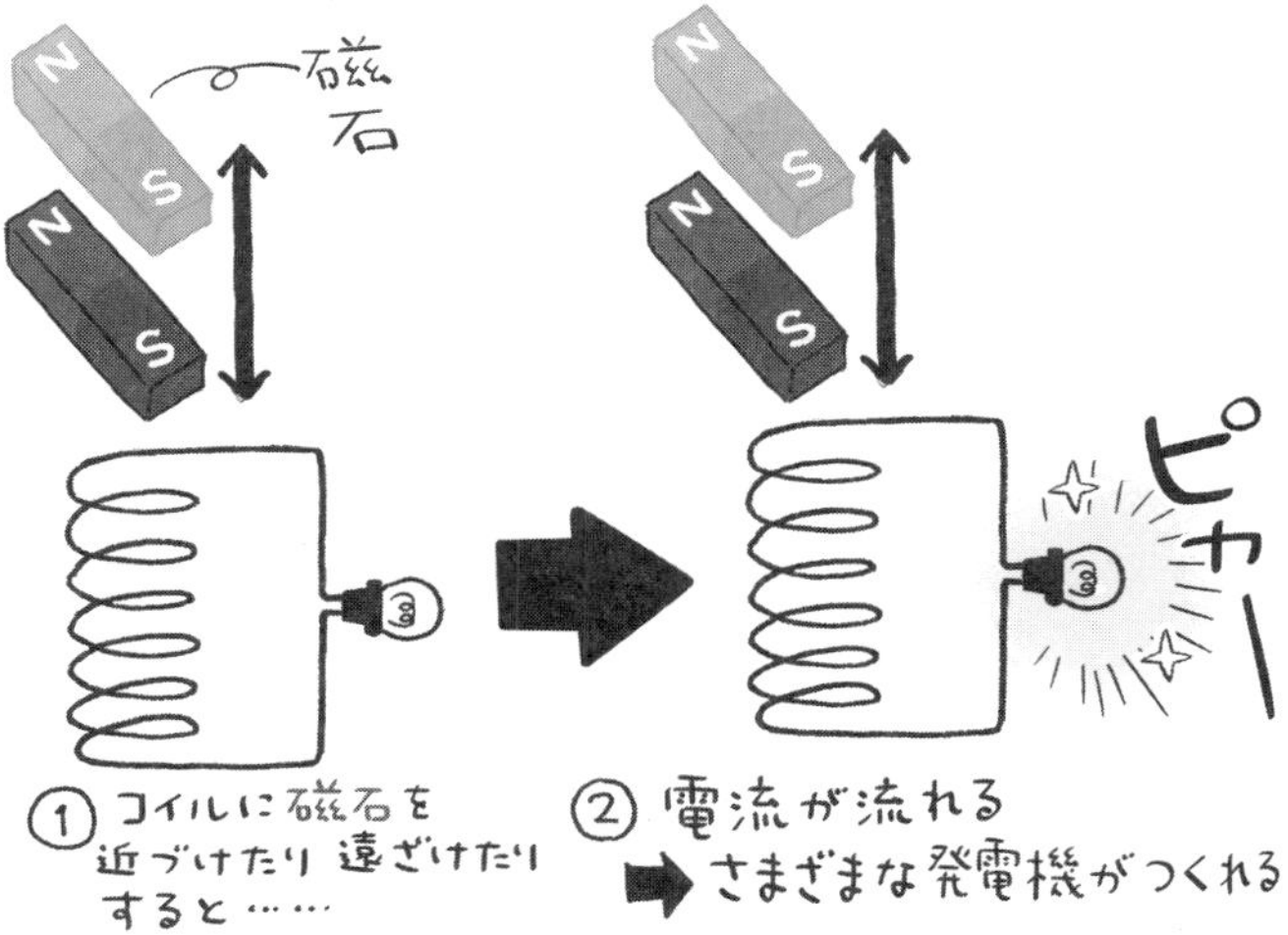

N
S
N
S
磁石
ピカー
① コイルに磁石を
近づけたり 遠ざけたり
すると……
② 電流が流れる
さまざまな発電機がつくれる

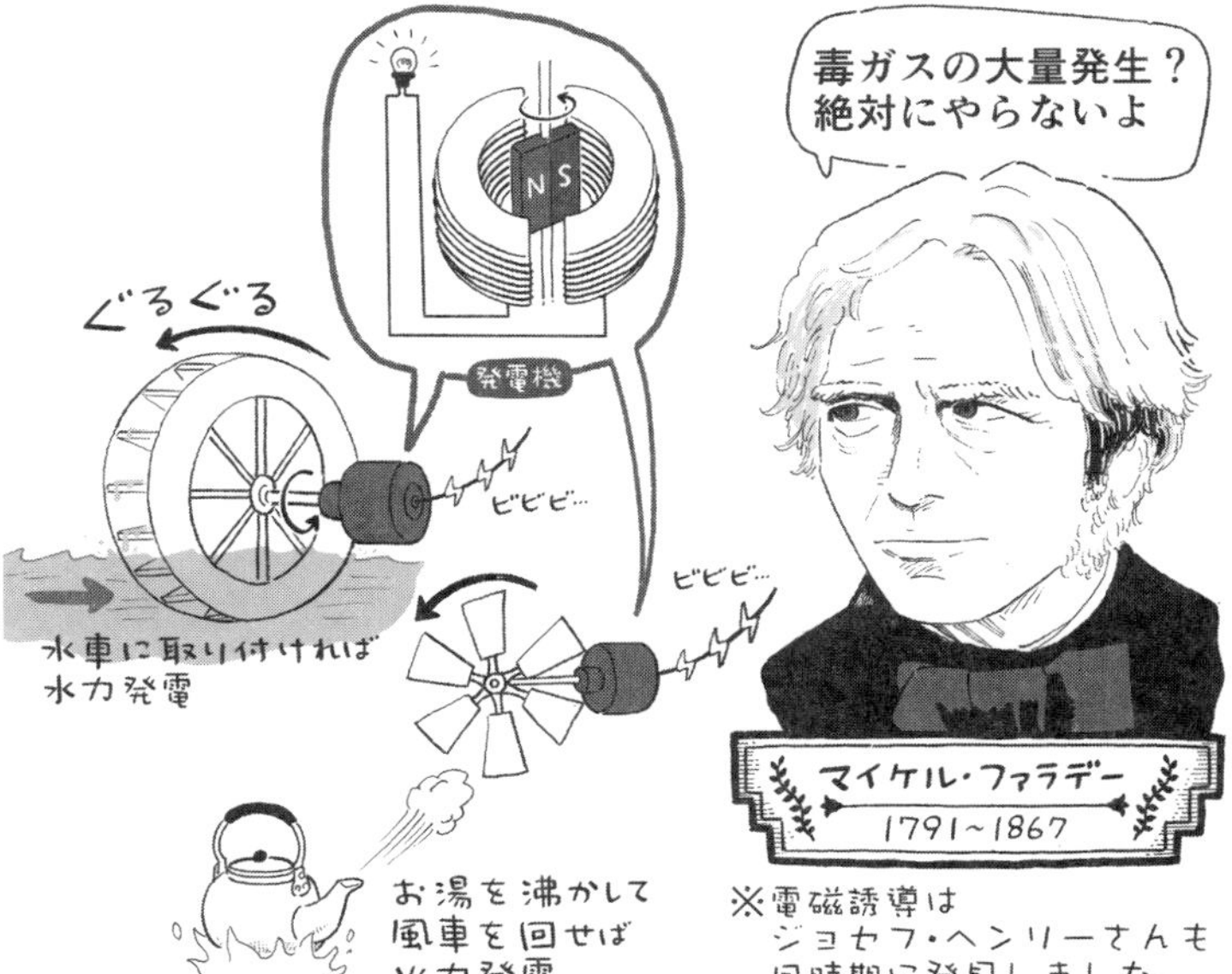

毒ガスの大量発生？
絶対にやらないよ
N S
発電機
ぐるぐる
ビビビ…
ビビビ…
水車に取り付ければ
水力発電
お湯を沸かして
風車を回せば
火力発電
マイケル・ファラデー
1791～1867

※電磁誘導は
ジョセフ・ヘンリーさんも
同時期に発見しました。

04

「理系ワールド」にご招待

「これ、私のことかも！」理系の習性がわかる本

最後に筆者の本を紹介しておきます。この本は、学校や家庭など身近にいる理系の人の習癖や発言を集めて分析したものです。妙に数字にこだわったり、周期表に美しさを感じたり、雷や救急車のサイレンなど日常の現象を唐突に物理法則で説明しだしたりといった、理系独特の言動を取り上げて、背後の論理を解説する試みです。そういう思考や発想する人は、周囲にいるのではないでしょうか。あるいは自分自身に思い当たるところはありませんか。

笑いながら読むうちに科学の知識が身につく本を目指しました。

『理系あるある』
小谷太郎、幻冬舎

おわりに

最後までお読みいただきありがとうございます。お楽しみいただけたら幸いです。

お読みになった方にはおわかりだと思いますが、本書が楽しく、理解しやすいと感じられたならば、それはユーモラスで正確なイラストのおかげが大きいです。

本書の元となった、朝日中高生新聞の連載では、毎回タテノカズヒロ氏がイラストによる解説と図解を行なっています。

今回の書籍化にあたり、それらのイラストは、連載時の雰囲気を壊さないようにしながら、書籍に適したデザインに作り変えられました。どうぞご確認ください。

また連載時および書籍化に際しては、朝日中高生新聞の編集部の皆様にお世話になりました。この場を借りてお礼申し上げます。

小谷太郎

猫は固体に決まって…
…
液体…？

著者紹介

小谷太郎　（こたに たろう）

博士(理学)。専門は宇宙物理学と観測装置開発。1967年、東京都生まれ。東京大学理学部物理学科卒。理化学研究所、NASAゴダード宇宙飛行センター、東京工業大学、早稲田大学などの研究員を経て国際基督教大学ほかで教鞭を執るかたわら、科学のおもしろさを一般に広く伝える著作活動を展開している。『見れば見るほど面白い「くらべる」雑学』(三笠書房)、『宇宙はどこまでわかっているのか』(幻冬舎)、『宇宙の謎に迫れ！ 探査機・観測機器61』(ベレ出版)など著書多数。

5分《ふん》でわかるイラスト図解《ずかい》！

理系《りけい》の「なぜ？」がわかる本《ほん》

2021年7月1日　第1刷

著　　者　小《こ》谷《たに》太《た》郎《ろう》

発 行 者　小澤源太郎

責任編集　株式会社 プライム涌光

電話　編集部　03(3203)2850

発 行 所　株式会社 青春出版社

東京都新宿区若松町12番1号 〒162-0056

振替番号　00190-7-98602

電話　営業部　03(3207)1916

印刷　三松堂　　製本　大口製本

万一、落丁、乱丁がありました節は、お取りかえします。

ISBN978-4-413-23208-1 C0040